KU-157-907

Geen alibi voor Arendsoog

Bij L.C.G. Malmberg verschenen in de Arendsoog-serie

1 Arendsoog
2 Witte Veder
3 Het raadsel van de Mosquitovallei
4 Arendsoog in de knel
5 De bende van de Blauwe Bergen
6 Arendsoog knapt het op
7 Arendsoog en de verdwenen rivier
8 Het spookt op de spoorbaan!
9 Arendsoog grijpt in
10 Pas op, Arendsoog!
11 De smokkelaars van de Rio Malo
12 De geest van de Eenzame Wolf
13 Texas-Arendsoog
14 Het testament van Tobi Thomson
15 Arendsoog in geheime dienst
16 Het veeland in gevaar!
17 Het geheim van Bad Man's hut
18 De Gemaskerde Ruiter
19 De jacht op de grijze hengst
20 Arendsoog en de goudkoorts
21 Het geheim van de zonderling
22 De strijd om Sam Peony-bridge
23 De stad van de verdwenen cowboys
24 Een hinderlaag voor Arendsoog
25 Arendsoog en het blaffende zand
26 De spookranch
27 Tweemaal Arendsoog
28 Arendsoog en de Mississippi-Duivels
29 Good luck, Arendsoog
30 Een amulet voor Arendsoog
31 Arendsoog en de vloek van Arbaz
32 Het raadsel van de C-ranch
33 Terreur over Texas
34 Schoten om middernacht
35 Dollardans in Cannon Field
36 Geen alibi voor Arendsoog

P. NOWEE

Geen alibi voor Arendsoog

L.C.G. Malmberg 's-Hertogenbosch

Omslag en illustraties van Hans G. Kress

Hoofdstuk 1

Het begint slecht ...

De stemming in de grote zaal van het 'Dorwan Hotel' was uitstekend. Daar was ook alle reden voor. De ranchers hadden een uitzonderlijk goed jaar achter de rug. Bob Stanhope–onze lezers beter bekend als Arendsoog–die dit jaar weer de leiding van het grote veetransport had gehad, was twee dagen geleden met gunstige berichten teruggekeerd. In jaren waren de prijzen die voor het vee betaald waren niet zo hoog geweest. Ja, de kudde had dit jaar een recordbedrag opgeleverd!

Harry Muston van de 'Three Ears' bood Lime Stew van de 'Bow and Arrow' een whiskey aan. Dit kleine voorval was tekenend voor de goede stemming, want iedereen wist dat Harry en Lime elkaar driehonderd vierenzestig dagen van het jaar nauwelijks aankeken!

De oude Pete Hensworth, die de veelzeggende bijnaam 'de regelaar' droeg, voelde zich zoals gewoonlijk geroepen het een en ander te organiseren. Hij wuifde met zijn hoed boven zijn hoofd en probeerde de aandacht te trekken. 'Als we nu eens allemaal gingen zitten, dan kunnen we gelijk beginnen als Stanhope met het geld komt,' riep hij zo hard hij kon. Niemand schonk aandacht aan hem en de stoelen, die rond de grote tafel stonden, bleven voorlopig nog leeg.

En toen kwam Arendsoog eindelijk. Er ging een gejuich op. Arendsoog hield lachend de tas omhoog, waarin het geld zat. Wat Pete Hensworth niet gelukt was, lukte hem wonderlijk snel. Hij hoefde slechts te gaan zitten om ervoor te zorgen dat alle stoelen in een mum van tijd bezet waren!

Arendsoog maakte de tas open en haalde de lijst eruit waarop de aantallen koeien stonden. 'Sorry dat ik jullie even liet wachten,' verontschuldigde hij zich. 'Ik werd vlakbij het hotel opgehouden door een vreemdeling, die een paar inlichtingen over Dorwan wilde hebben.'

'Geeft niets, Bob. Geeft niets,' riep Ed Pokeston. 'Zolang je mijn centen niet aan die vreemdeling hebt gegeven, vind ik het best!'

Er ging een gelach op.

Arendsoog sorteerde zijn paperassen. 'De totaalopbrengst van de kudde was dit jaar ... eh ... zevenenvijftigduizend driehonderd en veertig dollar ...' Het gelach verstomde en er klonk een tevreden gemompel. 'Als ik het goed heb uitgerekend wil dat zeggen dat elk dier gemiddeld ...' Hij zweeg, omdat de deur plotseling openging. Op de drempel stond sheriff Grisley. De rimpels in zijn gezicht waren scherpe, zorgelijke lijnen. Hij zag eruit als een afgeleefd, gebroken mens.

De stilte was tastbaar, toen de oude sheriff langzaam naar de tafel toe liep. Iedereen voelde, dat er iets vreemds aan de hand was. Grisley bleef achter de stoel van Ed Pokeston staan. Hij wees naar de tas. Zijn stem klonk vermoeid toen hij eindelijk sprak.

'Zit in die tas het geld, dat je net bij de Bank hebt gehaald, Bob?'

Arendsoog, die Grisleys deputy (hulpsheriff) was, knikte.

Grisley pakte de tas en klemde hem onder de rechterarm. 'Ik ... ik moet dit geld in beslag nemen, heren,' zei hij dan. 'En jij, Bob ... Zou je met me mee willen gaan naar mijn kantoor ...?'

Arendsoogs ogen werden groot. De aanwezigen werden onrustig.

'Wat heeft dit te betekenen? Wat is er aan de hand? Dit is òns geld, Grisley,' klonk het door elkaar.

Arendsoog stak een hand op en onmiddellijk werd het stil. 'Vind je niet, dat wij recht hebben op een verklaring?' vroeg hij zacht. Hij begreep absoluut niet wat zijn oude vriend bezielde.

Grisley keek hem aan, heel even maar. Toen sloeg hij de ogen neer. In die paar seconden echter had Arendsoog een groot verdriet of was het een grote angst gezien. Hij kende Grisley zo niet. Er moest iets heel ergs gebeurd zijn ... Arendsoog kwam overeind en liep om de tafel heen. Naast Grisley bleef hij staan. 'Wat is er in 's hemelsnaam aan de hand?' vroeg hij dringend.

Het scheen Grisley ontzettend veel moeite te kosten om de vraag te beantwoorden. Weer keek hij zijn hulpsheriff aan en weer zag Arendsoog die vreemde blik in zijn ogen. Plotseling echter vermande Grisley zich. 'Handell, de bankier, is dood,' zei hij zacht. 'Vermoord ...'

'Vermoord ...!' Arendsoog herhaalde het woord met hese stem. 'Handell vermoord ... Maar een kwartier geleden ...' Hij zweeg en keek verbijsterd naar Grisley. Er ging hem een licht op ... Maar dat zou te gek zijn om los te lopen! Grisley zou hèm toch niet verdenken ...! Het was zo intens stil in het vertrek, dat de geluiden van de straat duidelijk hoorbaar waren. Arendsoog probeerde te denken, nuchter te denken ... Het ging niet. De ideeën en gedachten tolden door zijn hoofd. Hij kon er geen vat op krijgen. Ineens werd hij zich ervan bewust, dat de ogen van de ranchers op hem gericht waren. Verbeeldde hij het zich of hadden zijn vroegere vrienden hem werkelijk al ingedeeld bij het gilde van de 'misdadigers' ...? Nee, dat kon niet waar zijn.

'Ga je mee, Bob?' onderbrak Grisley zijn gedachtengang.

Arendsoog gaf geen antwoord, maar knikte vaag. Oh, waarom zei geen van de ranchers nu iets! Waarom stak niemand hem een hart onder de riem? Waarom klonk niet één bemoedigend woord? Hij was er nog steeds niet in geslaagd zijn gedachten te ordenen, toen hij naast Grisley het vertrek verliet. Er hamerde één allesoverheersende vraag door zijn hoofd ... Waarom was Grisley rechtstreeks naar het hotel gekomen? De oude sheriff zou dit nooit gedaan hebben als hij niet beschikte over aanwijzingen ...

Toen de voordeur van het hotel achter hem dichtviel, bleek weer eens hoe snel een gerucht zich kan verspreiden. Het is overdreven om te zeggen, dat het zwart zag in de hoofdstraat, maar er stonden toch zeker enkele tientallen mensen bijeen. Toen Grisley en Arendsoog het hotel uitkwamen, verstomde het geroezemoes. Arendsoog probeerde de mensen niet te zien, niet te horen wat zij zeiden.

'Dat is hem ...! Wie zou dat ooit gedacht hebben ... Zie je wel, het zijn sterke benen die de weelde kunnen dragen ...'

Er werd een kind opgetild om het beter te laten kijken. Arendsoog versnelde zijn pas. Dit was in de ware zin van het woord 'spitsroeden lopen'! Hij slaakte een zucht van verlichting, toen de deur van Grisleys kantoor achter hem gesloten werd.

Met een woedend gebaar smeet de oude sheriff zijn hoed in de hoek van het vertrek. 'Sorry, Bob ... Ik kon het niet helpen ... Toen ik het hotel binnenging stond er nog niemand ... Zouden de mensen ooit die verdraaide kwebbels kunnen houden ...?'

De woedeuitbarsting van zijn oude vriend deed Arendsoog goed. Hij kon weer glimlachen. Nú vroeg hij zich af waarom hij zo in paniek geraakt was. Hij had immers niets te maken met Handells dood. Toen hij de Bank verliet zat de bankier levend en wel achter zijn kassa! Maar waarom ...

Grisley was gaan zitten. Ook hij voelde zich beter nu hij iets van de spanning had kunnen ontladen. Hij pakte een sigaar en bood Arendsoog er een aan, hoewel hij wist dat deze geen sigaren rookte. 'We zitten er mooi in, Bob,' zei hij dan somber.

Arendsoog greep een stoel en plofte neer. 'Ik begrijp nog steeds niet waarom je míj verdenkt! Je weet net zo goed als ...'

'Kalm, Bob! Kalm!' onderbrak Grisley hem. 'Natuurlijk verdenk ik je niet. Ik ben je vriend, dat weet je toch. Als vriend ken ik je tè goed om ook maar een seconde aan je te twijfelen. Maar ik ben hier in Dorwan ook nog iets anders ... Ik ben sheriff en als zodanig móét ik je aanhouden ...'

'Waarom ... Heb je dan ...'

Weer viel Grisley hem in de rede. 'Nogmaals, Bob, laten we kalm blijven. Anders komen we er nooit uit!'

'Sorry!' bromde Arendsoog. Hij schaamde zich voor zijn uitvallen.

'Je wilt weten of ik bewijzen heb, hè?' ging Grisley verder.

Arendsoog knikte.

'Ik heb alleen de verklaring van een vreemdeling, die jou de Bank uit zag komen, toen hij naar binnen ging. Hij vond Handell dood achter zijn kassa en kwam onmiddellijk hier naar toe.'

Arendsoog had zich moeten inhouden om Grisley niet te onderbreken, maar nu hield hij het niet meer uit. 'Een vreemdeling? Een lange kerel met een noordelijk accent?'

'Ja! Ken jij hem?' vroeg Grisley verwonderd.

'Die kerel hield mij op toen ik het hotel wilde binnengaan. Hij vroeg of ik bekend was in Dorwan. Ik zei 'ja'. Toen wilde hij weten of er mogelijkheden waren om te werken in deze stad. Ik vroeg hem wat hij voor beroep had. Hij zei timmerman en ik verwees hem naar Shurkey. Ik had toevallig gehoord, dat hij iemand kon gebruiken. De vreemdeling bedankte me en ik ging het hotel in ...'

Grisley had zwijgend toegeluisterd. De uitdrukking van zijn gezicht werd echter steeds ernstiger. 'De vreemdeling waar jij het over hebt, was die gekleed in een grijs kostuum?'

'Ja! Ik herinner me nog, dat ik me er een moment over verbaasde hoe een werkloze timmermansknecht zo goed gekleed kon zijn.'

Grisley schudde het hoofd. 'Hier zit vuiligheid achter, Bob ... Ik ruik het ...'

'Wat bedoel je?'

'De vreemdeling, die jij sprak is ongetwijfeld dezelfde die de moord kwam aangeven. Ik heb hem verboden de stad te verlaten en zijn naam en dergelijke opgenomen. Hij vertelde mij dat hij Edward Roowey heette en dat hij ... zakenman was ...'

Arendsoog floot tussen de tanden. 'Je hebt gelijk, Grisley. Ik begin nu ook een vieze lucht te ruiken! Waar is die Roowey nu?'

'Hij schijnt een kamer te hebben in het 'Dorwan Hotel'. Ik heb nog geen tijd gehad om het te controleren.'

Arendsoog trok een wenkbrauw op. 'Bedoel je ... Wil je zeggen, dat je die kerel op zijn woord geloofde; hèm rustig zijn gang liet gaan en de kans gaf ervandoor te gaan, terwijl je míj kwam ... arresteren!'

'Natuurlijk niet, Bob!' stoof Grisley op. 'Als er ook maar de minste twijfel bestond aan de beweringen van die Roowey hield ik hem vast. De moeilijkheid is echter, dat hij niet de enige is die jou de Bank uit heeft zien komen. Smith van de store aan de overkant en de jonge Bearning stonden vlakbij de Bank te praten. Zij hebben jou ook naar buiten zien komen. Ze durven er een eed op te doen, dat er tussen het moment, dat jij de Bank verliet en Roowey naar binnen ging niémand in- of uitgegaan is.'

'Maar die Roowey dan! Hij is alléén binnen geweest. Kan hij ...'

Grisley schudde het hoofd. 'Bearning en Smith hebben gezien, dat hij de deur van de Bank opendeed, naar binnen wilde gaan, zich plotseling bedacht en toen begon te roepen. Smith en Bearning kwamen natuurlijk naderbij en samen deden ze de gruwelijke ontdekking ... Nee, Roowey kan het niet gedaan hebben ...'

'Toch liegt hij,' bromde Arendsoog. 'Ik had de Bank al lang en breed verlaten, toen hij mij staande hield. Hij kwam van de andere kant van de hoofdstraat en kan mij dus nooit naar buiten hebben zien komen! Ik geef toe, dat hij daarná naar de Bank kan zijn gegaan, maar intussen waren er zeker drie of vier minuten verlopen!'

'Ik geloof je graag, Bob. De moeilijkheid is, dat ik het bewíjzen moet.'

'Wat zeggen Smith en Bearning ervan?'

'Zij hebben er geen flauw idee van hoeveel tijd er verliep tussen het moment dat jij naar buiten kwam en de vreemdeling naar binnen wilde gaan. Vergeet niet, dat ze stonden te praten! Smith zei woordelijk: één, twee misschien drie minuten ... Daar heb je dus niets aan!'

Arendsoog zuchtte diep. 'Als we nog even verder gaan begin ik zelf te geloven, dat ik iets met deze zaak te maken heb!'

'Kop op, Bob! We komen er wel uit. We móéten eruit komen.'

Grisley legde zoveel nadruk op het woordje 'moeten', dat Arendsoog verwonderd opkeek.

'Ik ben bang, dat de openbare aanklager, die deze zaak te behandelen krijgt nu niet één van je beste vrienden is, Bob ...' verklaarde Grisley zich nader.

'Bunder?'

'Ja!'

'Dan kunnen we er inderdaad beter voor zorgen, dat de bewijsvoering waterdicht is,' bromde Arendsoog. Hij dacht aan de dikke, eigengereide openbare aanklager. Als Bunder hem de voet kon dwars zetten, zou hij het niet laten! Het was al drie keer gebeurd, dat de openbare aanklager een 'zekere' zaak verloren had omdat Arendsoog op het laatste moment met bewijzen was gekomen, die een geheel nieuw licht op de betreffende zaak wierpen. En hoewel dus in feite de waarheid in die drie zaken had gezegevierd – iets waarover de openbare aanklager zich zou moeten verheugen! – had Bunder Arendsoogs 'bemoeizucht' in het persoonlijke vlak getrokken. Uiterlijk deed hij poeslief tegen de cowboy, maar heel Dorwan wist dat hij zijn bloed wel kon drinken!

'Begrijp je nu waarom ik zo'n haast achter de zaak zette?' zei Grisley. 'Ik wil alle feiten kennen vóór Bunder zijn dikke neus in de zaak steekt.'

'O.K., Grisley. Je had gelijk.'

'Laten we bij het begin beginnen en alle feiten naast elkaar leggen,' stelde de sheriff voor. En toen Arendsoog instemmend knikte, ging hij verder: 'Je ging dus naar de Bank om geld te halen? Dìt geld.' Hij klopte op de tas.

'Ja. Er moeten zevenenvijftigduizend driehonderd en veertig dollars in zitten,' antwoordde Arendsoog. 'Het is de opbrengst van de grote kudde, die we naar Fort Hammering gebracht hebben. Natuurlijk liet ik mij daar niet in contanten uitbetalen. Het zou veel te gevaarlijk zijn om de lange rit terug te maken met zoveel geld bij me. Ik haalde dus een cheque op de Bank van Hammering en reisde met dat papiertje op zak hierheen. Eergisteren ben ik naar Handell toe gegaan en heb hem gezegd, dat ik de cheque vandaag zou komen innen. Handell had altijd voldoende kasgeld, dat weet je wel, maar ik wilde er zeker van zijn, dat hij me het gehele bedrag zou kunnen uitbetalen. Hij zei, dat hij ervoor zou zorgen en toen ik vanmorgen kwam en de cheque tekende betaalde hij inderdaad prompt uit.'

'Dus die getekende cheque moet tussen de papieren van Handell zitten?'

'Natuurlijk! Maar om verder te gaan. We maakten een praatje, terwijl ik het geld in deze tas deed. Toen verliet ik de Bank.'

'Liep Handell met je mee naar de deur of zo?'

'Nee, hij stond wel op, maar ik zei zoiets als 'ik kom er wel uit'.

En dus bleef hij achter de balie. Ik stak regelrecht de hoofdstraat over naar het hotel. Vlak voor de deur werd ik staande gehouden door die vreemdeling. Nadat ik hem de inlichtingen gegeven had waar hij om vroeg, ben ik naar binnen gegaan. De rest weet je.'

Grisley trok aan zijn sigaar. 'Nu eens even logisch redeneren,' zei hij meer tegen zichzelf dan tegen Arendsoog. 'Jíj hebt Handell niet vermoord. Daar ga ik van uit. Die Edward Roowey heeft het evenmin gedaan. Dat blijkt uit de verklaringen van Smith en Bearning. Dus ...'

'... is er een onbekende "derde",' vulde Arendsoog aan. 'Tussen haakjes, Grisley, heeft niemand het schot gehoord?'

'Er is niet geschoten. De moordenaar gebruikte een dolk ...'

Arendsoog beet op zijn onderlip. Het liefst zou hij er nu zelf op uit gegaan zijn om het zaakje eens grondig te onderzoeken. Hij wist echter dat dit niet kon. Helaas ...

Grisley stond op. Hij scheen Arendsoogs gedachten te hebben geraden. 'Je begrijpt wel, dat ik je niet kan laten gaan, Bob. Als je even door het raam kijkt zul je zien, dat de mensen op je staan te wachten. Het zijn net hongerige hyena's.' Hij zweeg even. 'Het is vreemd, maar de mensen schijnen er op de een of andere lugubere manier genoegen in te scheppen als er iemand van zijn voetstuk valt. Eerst plaatsen ze je er zelf bovenop en dan ... In dit geval ben jij het. Ik ben er zeker van dat negen van de tien mensen daarbuiten erg op je gesteld zijn. En toch ...'

'Het is de sensatie,' meende Arendsoog. 'We moeten daar maar niet te zwaar aan tillen, geloof ik.'

Grisley was het met hem eens. 'Ik zal je niet opsluiten, Bob, maar als ik het kantoor verlaat doe ik wel de deur achter me op slot. Het spijt me, maar ...'

'Je hoeft je niet te verontschuldigen,' stelde Arendsoog hem gerust.

Grisley lachte als een boer die kiespijn heeft. 'Ik heb me nog nooit zo beroerd gevoeld, weet je dat.'

Arendsoog klopte hem op de schouder. 'Bedankt, boss,' zei hij. 'Ga nu maar en pieker niet teveel over mij.'

Grisley knikte en verliet het kantoortje. Toen hij de deur achter zich sloot, werd hij onmiddellijk omringd door de vele nieuwsgierigen. De oude sheriff voelde de woede in zich opstijgen. 'Uit de weg,' snauwde hij. Met grote passen beende hij tussen de omstanders door.

Hoofdstuk 2

Nog vierentwintig uur ...

De zon stond op haar hoogste punt, toen sheriff Grisley eindelijk terugkwam. De uren, die sinds zijn vertrek verstreken waren, hadden Arendsoog een eeuwigheid geleken. Grisleys gezicht stond nog ernstiger dan toen hij wegging. Nauwelijks had hij de deur achter zich gesloten of Arendsoog sprong op.

'En ...? Iets wijzer geworden?'

'Ik weet het niet meer, Bob,' zuchtte de oude man. 'Ik weet het niet meer.'

Arendsoog nam hem aandachtig op. Wat was er nú weer gebeurd?

Grisley ging op de rand van zijn bureau zitten. 'Ik zal maar met de deur in huis vallen,' zei hij dan. 'Tussen de papieren in de Bank heb ik de door jou getekende cheque niet gevonden ...'

De verbijstering kon men als het ware van Arendsoogs gezicht scheppen. 'Was ... die cheque er niet ... Maar dat móét! Ik heb hem toch zelf gegeven.'

Grisley haalde ontmoedigd de schouders op. 'Ik geloof je op je woord, maar hij is spoorloos ...'

Arendsoogs lippen werden een bleekrode, smalle streep. 'Het gaat er steeds meer op lijken, dat de een of ander mij te grazen wil nemen,' bromde hij.

'Er is nog meer, Bob,' ging Grisley verder. Hij voelde zich een onheilsprofeet. 'Je weet, dat Handell altijd zeer precies was. Uit zijn aantekeningen bleek, dat hij vanmorgen iets meer dan vierenzeventigduizend dollar in kas had. Hij heeft jou een dikke zevenenvijftigduizend dollar uitbetaald. Er moest dus nog ongeveer zeventienduizend dollar in kas zijn ...'

'Behalve natuurlijk als hij niet alleen aan mij geld heeft uitbetaald,' onderbrak Arendsoog hem.

Grisley schudde het hoofd. 'Jij was Handells eerste en ... volgens de getuigen, laatste klant vandaag ... Die zeventienduizend dollar moesten er dus zijn ...'

'Maar ze zijn er niet ...' begreep Arendsoog.

Grisley stak een hand in de binnenzak van zijn jack en haalde er een voorwerp uit, dat in een rode halsdoek gewikkeld was. Hij rolde de doek op het bureau open. 'Ken je deze dolk, Bob?' vroeg hij toen.

Arendsoog hoefde niet naderbij te komen. Hij herkende het steekwapen onmiddellijk. Hij had het jaren geleden van Witte Veder gekregen. Het was een schitterend uitgesneden Indiaanse dolk, een dolk zoals er geen tweede bestond om de eenvoudige reden dat het handwerk was. Maar mocht er toch nog enige twijfel bestaan, dan namen de initialen B.S. die weg. Nee, de dolk was van hèm, Bob Stanhope!

'Handell is met dit wapen om het leven gebracht,' zei Grisley zacht.

Arendsoog ging zitten. Zijn ogen konden de dolk niet loslaten. Had iemand Handell met deze dolk, zíjn dolk durven vermoorden? Het was een afgrijselijke gedachte.

De sheriff was echter nog niet aan het eind van zijn Latijn. 'En ... eh ... die Roowey, weet je wel ...'

'Ja?' Arendsoog snauwde het bijna.

'Hij zegt, dat hij onder ede kan verklaren, dat hij vanmorgen niet met jou heeft staan praten, zoals jij beweert ...'

Arendsoogs vuist kwam met een donderende slag op het bovenblad van het bureau terecht. 'Maar nu is het genoeg! Zie je dan niet, dat alles in elkaar is gezet om mij erin te draaien!'

Grisley probeerde hem te kalmeren. 'Natuurlijk zie ik dat, Bob. De vraag is alleen: door wie? Vertel me eens hoe de moordenaar aan die dolk is gekomen.'

'Hij zat in mijn zadeltas,' antwoordde Arendsoog. 'Ik heb vannacht in het hotel aan de overkant geslapen. Mijn zadeltassen moeten daar nog liggen. Iedereen kan gisteravond of vanmorgen, toen ik de kamer af was, naar binnen zijn gegaan en hem weggenomen hebben.'

'Die Roowey bijvoorbeeld,' knikte Grisley. 'Hij heeft vannacht ook in het Dorwan Hotel geslapen ...'

Minutenlang bleef het doodstil in het kleine vertrek.

'Al heeft die Roowey Handell niet vermoord, hij zit er toch tot aan zijn nek in,' zei Arendsoog dan.

'Evenals jij, Bob,' vulde Grisley aan. 'Vergeef me, dat ik het zo zeg, maar je zit er héél, héél lelijk in ...'

'Ik kàn het toch niet gedaan hebben! Toen Handell vermoord werd was ik al lang en breed bij het hotel!'

'Dat zeg jíj. Je hebt met Roowey staan praten, zeg je. Hij beweert dat dit een leugen is ... Hij was de enige die je een alibi kon bezorgen. Of ... heb je nog iemand gezien, terwijl jullie stonden te praten?'

Arendsoog dacht even na. 'Nee, ik kan het me niet herinneren. Het was nog vrij vroeg en er waren niet veel mensen op straat. Ik herinner me niet iemand gezien te hebben, die ik ken.'

'En dus, Bob ... heb je geen alibi ... Bunder zal hier heel gauw achter zijn, vrees ik.' Hij zweeg, omdat er hard op de deur gebonkt werd. Grisley liep langzaam naar de andere kant van het vertrek en opende de deur op een kier. 'Als je over de duvel praat,' gromde hij.

Arendsoog draaide zich half om. Er ging een schok door hem heen, toen hij de openbare aanklager zag binnenkomen. Of nee, we kunnen beter het woord 'schommelen' gebruiken. Bunder liep niet, hij schommelde. Zijn dikke buik volgde de bewegingen iets vertraagd. Toen hij in het midden van het vertrek stil bleef staan, wiegde de buik nog even na. Zwijgend stond hij daar – terwijl Grisley terugliep naar de stoel achter het bureau – de benen iets uit elkaar alsof hij bang was dat hij topzwaar zou worden en zou omvallen. Hij had zijn duimen bij de oksels achter de rand van zijn vest gestoken. Zijn gebalde handen met de vette worstvingers lagen als weke vleesbergjes op zijn borst. Een kapot gebeten sigaar stak tussen de slappe lippen.

Arendsoog keerde zich om.

Het leek wel of Bunder hierop gewacht had. 'Is mister Stanhope in staat van beschuldiging gesteld?' vroeg hij op een toon alsof hij naar het weer informeerde.

'Hoezo?' zei Grisley kort.

'Niet om het een of ander, maar ik vraag me af of iemand die van moord verdacht wordt wel aan déze kant van de tralies hoort ... Bovendien zou ìk hem allereerst ontwapend hebben ...'

'Wil je je met je eigen zaken bemoeien, Bunder!' snauwde Grisley. 'Wat híér gebeurt is voor míjn verantwoording.'

'Goed! Goed!' suste Bunder schijnheilig. 'Ik hoop alleen voor jou, dat je geen moeilijkheden zult krijgen ...'

Grisley deed alsof hij de opmerking niet hoorde. 'Wat kwam je doen?'

Bunder grijnsde breeduit. 'Je zult begrijpen, dat ik bijzonder geïnteresseerd ben in deze zaak. Ik kwam eens kijken hoe we ervoor staan ...'

'Dat krijg je te horen zodra de tijd daarvoor rijp is,' antwoordde de sheriff.

'Ik heb al zo het een en ander gehoord,' ging Bunder onverstoorbaar verder. 'Een zekere Roowey kwam me inlichten ...'

'Roowey ...!?' beet Grisley hem toe. 'Waarom deed hij dat? Als hij iets belangrijks te zeggen heeft kan hij hierheen komen!'

Bunder kuchte. 'Eh ... Roowey zei dat hij de indruk gekregen had, dat jij ten opzichte van de verdachte nogal bevooroordeeld was ... Ik kon hem daarin niet helemaal ongelijk geven,' zei hij met een stem, die droop van het venijn. 'Roowey had gehoord, dat de verdachte geprobeerd had hèm in de zaak te betrekken door te beweren, dat zij met elkaar hadden staan praten op het moment dat de moord naar alle waarschijnlijkheid gepleegd werd. En aangezien genoemde Roowey helemaal geen zin had om in die moordzaak gemengd te worden, en omdat hij, zoals ik al zei, jou bevooroordeeld achtte, kwam hij naar mij toe ...'

'Ik neem dus maar aan, dat je volledig op de hoogte bent,' zei Grisley inwendig kokend van woede.

'Redelijk. Redelijk. Ik hoorde onder andere, dat er nogal wat geld verdwenen is ...'

'Hoe weet Roowey dat?' beet Grisley hem toe. 'Ik kan me niet herinneren dat ik hem in vertrouwen genomen heb.'

'Hoe hij het weet, doet er niet toe. Roowey vroeg zich alleen af of de verdachte het geld misschien in zijn hotelkamer verborgen had in de tijd waarin hij bewéért met Roowey te hebben staan praten ...' Hij stak een hand in zijn zak.

Arendsoogs hart kromp samen. Hij deed de ogen dicht, toen Bunder een stapel bankbiljetten op het bureau gooide.

'Ik vond dit geld in de zadeltassen van de verdachte. Ik ben zo vrij geweest het, onder getuigen, uit de tassen te halen en mee te nemen,' zei Bunder kil. 'Tel het even na, als je wilt. Het is bijna zeventienduizend dollar ... Klopt dat met het vermiste bedrag?'

Grisley kwam langzaam overeind. Het was aan hem te zien, dat het hem moeite kostte zich te beheersen. Hij liep naar de deur en hield die wijd open. Er kwam geen woord over zijn lippen. Bunder begreep de wenk, die we geen stille wenk meer kunnen noemen. Heel even bleef hij nog staan, toen liep hij langs Grisley het kantoor uit. 'Ik hoop, dat je na zoveel jaren voorbeeldige dienst niet een grote misstap zult begaan, Grisley,' zei hij sarcastisch. 'Laten je persoonlijke gevoelens voor de verdachte je er niet van weerhouden de nodige voorzorgsmaatregelen te nemen ...'

Met een dreunende slag smeet Grisley de deur achter hem dicht. 'Het serpent,' barstte hij los. 'Zou je hem niet! Hij haalde het bloed onder mijn nagels vandaan ... Ik begreep niet hoe jij zo rustig kon blijven zitten.'

'Ik heb nog nooit in mijn leven zo graag iemand een flink pak slaag gegeven,' bekende Arendsoog. 'Maar ik zou er niets mee opgeschoten zijn. Bunder had het over bevooroordeeld zijn. Als iemand dat is, is hij het wel!'

Weer viel er een geladen stilte. Grisley griste de bankbiljetten bij elkaar en smeet ze in een lade van het bureau. Arendsoog staarde in gedachten naar het stukje blauwe lucht dat door het raam zichtbaar was. Hij dacht aan de mensen in de gevangenissen, die maanden, of zelfs jaren achtereen nog minder lucht te zien kregen. Veronderstel dat hij ... Met een driftig hoofdschudden probeerde hij de sombere gedachten van zich af te zetten. Het lukte hem niet. Hoe hij de zaak ook bekeek, hij kwam er niet uit. De enige oplossing was, dat er inderdaad een derde man in het spel was geweest. Een man, die misschien al in het Bankgebouw aanwezig was, toen híj de cheque kwam verzilveren. Díé man moest Handell vermoord hebben, terwijl Roowey Arendsoog aan de praat hield. Hij popelde om zelf op onderzoek uit te gaan. Die derde man móést bestaan en dus moest hij ook opgespoord kunnen worden. Hij begreep echter drommels goed dat Grisley hem niet kon laten gaan. Zelfs als zijn oude vriend het zou aanbieden, mocht hij het niet accepteren. Het zou Grisley onherroepelijk zijn baan kosten en bovendien zou de oude sheriff strafbaar zijn omdat hij een gevangene had helpen ontsnappen ...

Grisley was opgestaan en liep nerveus heen en weer in het vertrek. Twee keer leek het of hij iets wilde zeggen. Beide keren echter slikte hij de woorden nog net in.

Arendsoog begreep wat er in de sheriff omging. Hij haalde zijn revolvers uit de holsters en legde ze op het bureau.

Grisley schoot naderbij. 'Doe die wapens terug, Bob,' zei hij zacht. 'Alsjeblieft ...'

Arendsoog schudde het hoofd. 'Ik begrijp heel goed hoe mijn zaak ervoor staat, Grisley,' antwoordde hij. 'Ik wil geen voorkeursbehandeling hebben omdat ik nou toevallig een vriend van je ben ...' Hij liep met grote passen naar de getraliede deur achterin het vertrek.

Grisleys handen grepen de rugleuning van een stoel en schenen het hout te willen versplinteren. 'Nee Bob,' kreunde hij. 'Dit wil ik niet ... Ga in 's hemelsnaam zitten.'

Arendsoog liet zich niet ompraten. 'Laten we onze hersens erbij houden,' antwoordde hij. 'Je móét mij opsluiten, terwijl je zelf op onderzoek uitgaat. Op die manier hebben we de meeste kans om deze zaak tot een goed einde te brengen ... zonder jou èn mij in moeilijkheden te brengen.'

Grisley zweeg.

'Pak je sleutels nu maar,' ging Arendsoog zacht verder. 'Ik neem het je niet kwalijk. Hoe zou ik het kunnen ... Je moet je plicht doen.'

Er kwam beweging in de roerloze gestalte bij de stoel. Toen

Grisley zich naar hem omdraaide, schrok Arendsoog. De oude sheriff zag eruit alsof hij net een tocht door de hel had gemaakt! Arendsoog legde een hand op de schouder van zijn baas. 'Kop op, Grisley. Alles komt best in orde. Ik weet het zeker.' Grisley knikte vaag. 'Maar je kunt mij een groot plezier doen als je mijn moeder en Witte Veder laat waarschuwen. Wil je dat?' Weer knikte de oude man. Toen haalde hij de grote sleutelbos te voorschijn ...

Drie dagen later ...

Bunder had haast achter de zaak gezet. Toen Grisley in de eerste achtenveertig uur na de moord niets, maar dan ook niets vond, dat een nieuw licht op de zaak zou kunnen werpen, besloot de openbare aanklager de gerechtelijke procedure te openen.

De rechtszaal was tot de laatste plaats bezet, toen Arendsoog door Grisley werd binnengeleid. De cowboy wierp een blik door de zaal. Hij was opgelucht toen hij zag dat zijn moeder en zuster niet aanwezig waren. Zij hadden hem in de afgelopen dagen een paar maal bezocht en hij had ze uitdrukkelijk gevraagd niet te komen. Wel zag hij Witte Veder en Jim, zijn trouwe voorman. Toen hij naar de andere kant van de zaal keek, was hij Bunder toch wel een beetje dankbaar. Als de openbare aanklager nog een paar dagen gewacht had, zouden er zeker meer journalisten gekomen zijn. Nu telde hij er al zeven! Zijn zaak scheen nogal wat opwinding veroorzaakt te hebben.

Het was maar goed, dat hij niet wist dat het nieuws drie dagen geleden via de telegraaf naar alle uithoeken van de staat en zelfs tot ver daarbuiten geseind was. Hij zou het niet prettig hebben gevonden als hij bijvoorbeeld de San Francisco Herald had gezien. Deze belangrijke krant vond het nieuws 'groot' genoeg om er op de voorpagina vier kolommen aan te wijden onder de kop 'Arendsoog, de schrik van misdadigers, nu zelf van moord verdacht'. Of de Wichita Koerier, die heel melodramatisch sprak van 'triest einde van een leven in dienst van de mensheid' ...

De zaak zelf was heel eenvoudig en nam maar weinig tijd in beslag. Smith en Bearning verklaarden onder ede, dat zij Arendsoog de Bank hadden zien uitkomen kort voor Roowey naar binnen wilde gaan. Edward Roowey vertelde hoe hij het lichaam van Handell had gevonden en wat hij daarna had gedaan. Hij ontkende, dat hij voor het hotel met Arendsoog had staan praten. Tenslotte riep Bunder de eigenaar van het hotel als getuige op. Deze verklaarde, dat hij gezien had dat Bunder een bedrag van zeventienduizend dollar uit de zadeltassen van Arendsoog had gehaald. De bewuste tassen waren als bewijsstukken aanwezig. Arendsoog ontkende niet dat ze van hem waren en evenmin dat de dolk zijn eigendom was. Op de vraag van de rechter of hij schuldig was aan het misdrijf antwoordde hij echter met de meeste nadruk, dat hij onschuldig was.

De oude rechter, die nog bevriend was geweest met Arendsoogs vader, gaf met een brok in zijn keel een korte samenvatting aan de juryleden. De gezworenen trokken zich terug. Ze kwamen heel snel tot overeenstemming. Tien minuten later verklaarde de voorzitter van de jury, dat Arendsoog 'schuldig' was bevonden. En toen deed rechter Cleveland iets wat niemand verwachtte ... Hij deed niet onmiddellijk uitspraak, maar bepaalde deze op de volgende middag.

Terug in zijn cel liet Arendsoog zich op zijn krib vallen. Hij was uitgeput van spanning en teleurstelling. Hij kon niet redelijk meer denken en nam het de juryleden kwalijk, dat zij aan zijn onschuld hadden getwijfeld. Het waren toch allemaal oude vrienden van hem geweest!

Grisley probeerde hem op te beuren. 'Kom Bob, alles is nog niet verloren!'

Arendsoog haalde de schouders op. 'Ik weet het niet meer, Grisley. Cleveland kan morgen maar één uitspraak doen ...'

'Morgen! Dan zijn we weer vierentwintig uur verder ... In vierentwintig uur kan een heleboel gebeuren. Misschien ontdekken we nog iets. Cleveland stelde de uitspraak niet voor niets uit. Hij mag je heel graag, dat weet je, en hij wil je graag nog een kans geven.'

Arendsoog trok de wenkbrauwen op. 'Je hebt alles al zeker honderd keer onderzocht,' mompelde hij. 'Wat denk je nog te bereiken?'

'Je weet nooit, Bob,' antwoordde Grisley tegen beter weten in. 'Maar moed verloren is al verloren ... Ik ga wéér op onderzoek uit!'

Toen hij zijn kantoor verliet, liet hij een ongelovige en wanhopige Arendsoog achter ...

Hoofdstuk 3

Grisley vertrouwt het niet

Sheriff Grisley hield woord. Hoewel hij er zelf ook een hard hoofd in had, begon hij voor de zoveelste maal zijn onderzoek in de Bank, waar Handell vermoord was. De woorden van Arendsoog lieten hem niet met rust. Er moest een derde man in het spel zijn ... Arendsoog, Edward Roowey en ... Ja, wie was nummer drie ...?!

Centimeter voor centimeter onderzocht hij de grond achter de kassa. Evenals alle voorgaande keren werd hij echter niets wijzer. Hij verspilde zijn tijd. Zíjn tijd? Nee, hij verspilde Arendsoogs kostbare vierentwintig uur ... Het had geen zin hier verder te zoeken. Witte Veder had op zijn verzoek ook een keer een onderzoek ingesteld en als de Indiaan geen enkel spoor kon vinden, mocht híj niet verwachten meer geluk te zullen hebben. Hij moest de zaak van een andere kant benaderen. Een andere kant, maar welke ...? In gedachten verzonken slenterde hij de hoofdstraat door. Edward Roowey? Harry Dewill, zijn nieuwe deputy (hulpsheriff), had de lange vreemdeling de afgelopen dagen voortdurend in de gaten gehouden. Roowey had de stad niet één keer verlaten en met niemand contact gehad, behalve dan met Bunder en Grisley zelf.

Nog steeds in gedachten liep hij het Dorwan Hotel binnen. De eigenaar begroette hem overdreven vriendelijk.

'Is Stanhopes kamer nog vrij?' vroeg Grisley kort.

'Natuurlijk sheriff. Je had me toch opgedragen voorlopig de kamer niet te verhuren!' antwoordde de ander snel.

'De sleutel?' Grisley kon het niet helpen, maar hij was niet in staat om vriendelijke gesprekken te voeren.

De hoteleigenaar haastte zich naar het sleutelbord. 'De kamer is misschien een beetje vuil,' verontschuldigde hij zich. 'Ik heb hem met opzet al die dagen niet laten schoonmaken.'

Grisley hoorde het niet eens. Moeizaam klom hij de brede trap op. Ook hij voelde zich bekaf. De spanningen van de afgelopen dagen waren hem niet in de koude kleren gaan zitten. Hij had de laatste nachten geen oog dicht kunnen doen.

De kamer waarin Arendsoog zijn laatste nacht als vrij man had doorgebracht zag eruit als iedere hotelkamer nadat iemand er geslapen heeft. Over de leuning van een stoel hing een shirt. De dekens van het bed waren teruggeslagen. Het kussen lag naast het hoofdeinde op de grond. De lampetkan was bijna leeg. In het bodempje water dreef een dode vlieg. Grisley opende de kast, die het grootste deel van de linkermuur besloeg. Op een paar laarzen na was het meubelstuk leeg. Hij ging op de rand van het bed zitten, de ellebogen op de knieën en het hoofd steunend in de handen. Wat kon hij nu nog meer doen? Hij had alles onderzocht wat er te onderzoeken viel. Wat deed hij hier nog? Alles was immers toch verloren. Morgen zou rechter Cleveland uitspraak doen ... Aan de overkant van de gang werd een kamerdeur dichtgeslagen. Hij hoorde het geluid, maar schonk er geen aandacht aan. Vijf, tien minuten zat hij roerloos en staarde naar de wirwar van takken in het kleedje voor het bed. De takken grepen in elkaar, vlochten een ondoordringbaar netwerk. Plotseling kreeg hij het benauwd. Hij stond op en opende een raam. De hoofdstraat lag vredig in het licht van de ondergaande zon. Grumworth, de smid, kwam juist uit de saloon naar buiten. Hij stond een beetje wankel op de benen. De kranige weduwe van Mike Narriman spitte als een landarbeider haar tuintje om. De jonge Peter Stone van de stalhouderij leidde een paard aan de teugels door de hoofdstraat. Het paard ... Er ging een schok door de oude sheriff. Hij kende het dier ... Hij vergat het raam te sluiten en holde de kamer door en de trap af.

Edward Roowey stond bij de balie en telde een aantal dollarbiljetten neer. Hij keek op, toen Grisley als een wervelwind naar beneden kwam. Hij grinnikte. 'Nog geen last van stijve gewrichten merk ik, sheriff,' zei hij.

Buiten adem bleef Grisley naast hem staan. 'Vertrekt u, mister Roowey?'

Edward Roowey knikte. 'U had mij gevraagd–of moet ik zeggen 'bevolen'–in Dorwan te blijven tot de rechtszitting. Wel ... ik heb mijn plicht als staatsburger gedaan en mijn getuigenis afgelegd. Al met al heeft dit grapje me een paar dagen gekost en in mijn beroep is tijd erg kostbaar. Ik moet morgen voor zaken in Phoenix zijn en ik vind het al vervelend genoeg, dat ik een deel van de tocht in het donker moet rijden.'

Grisley gaf geen antwoord. Wat Roowey vertelde klonk aannemelijk. En al had het níét aannemelijk geklonken, hij kon de man niet tegenhouden als hij wilde gaan. Zonder nog een woord te zeggen, keerde hij zich om en verliet het hotel. Hij werd uit zijn gedachten wakker geschud door de hotelhouder, die hem achterna was gelopen voor de sleutel van Arendsoogs kamer.

'Is de kamer vrijgegeven?' vroeg hij met een vreemde grijns.

Grisley knikte en liep verder. Waar de hoofdstraat zich verbreedde tot een pleintje bleef hij staan. Zonder te zien keek hij naar het spel van de kinderen onder de bomen. Plotseling zag hij Edward Roowey naderbij komen. In een opwelling stapte de sheriff achter een van de bomen. Roowey had hem niet in de gaten. Toen hij het pleintje overgestoken was, gaf hij zijn paard de sporen. In een flinke galop verliet hij Dorwan dan in noordelijke richting. Grisley keek hem na. Hij was er zich niet van bewust, dat zijn handen tot vuisten gebald waren. Hij twijfelde er geen seconde aan, dat Roowey zijn gezicht nooit meer in Dorwan zou laten zien. Hij vroeg zich af of het zin had zijn collega in Phoenix te waarschuwen en te vragen de man in de gaten te houden. Men kon nooit weten. Phoenix ...! Het was of iemand Grisley een slag op het hoofd had gegeven. Heel even duizelde het hem. Phoenix ... Roowey had gezegd, dat hij naar Phoenix moest ... Maar waarom verliet hij Dorwan dan aan de noordkant, terwijl Phoenix ten zuiden van de stad lag ...!

Grisley bedacht zich niet lang. De kinderen onderbraken hun spel, toen de oude sheriff in een verbijsterend hoog tempo de hoofdstraat in holde. Nog geen drie minuten later was hij weer terug. Nu echter te paard ...

De zon was inmiddels ondergegaan en de schemering sloop door de vallei. Grisley spaarde zijn paard niet. Na een kwartiertje kreeg hij Roowey in de gaten. De vreemdeling merkte niet, dat hij gevolgd werd en reed in hetzelfde tempo verder. Hoewel het riskant was besloot de sheriff de afstand tussen hem en Roowey nog iets te verkleinen. Het zou spoedig volkomen donker zijn en wat er ook gebeurde, hij mocht Roowey niet uit het oog verliezen!

Roowey scheen goed bekend te zijn in de omgeving. Hij reed regelrecht naar de enige doorwaadbare plaats in de rivier. Op de andere oever zwenkte hij scherp naar rechts en vervolgde zijn tocht in oostelijke richting. In het vage maanlicht zag Grisley in de verte de verlaten ranch van Klinkshaw liggen. Verwonderd hield hij zijn paard in. Het had er alle schijn van, dat het doel van Rooweys tocht deze ranch was! Spoedig werd zijn vermoeden bewaarheid. Toen de lange vreemdeling op het erf afsteeg, slingerde ook Grisley zich uit het zadel. Zo snel hij dat kon zonder al teveel geluid te maken, holde hij naar het ranchgebouw.

Op het erf werd Roowey begroet door een man, die minstens een hoofd kleiner was. Grisley sloop naderbij. De mannen gingen het gebouw binnen. De sheriff wachtte nog even, toen stak hij het erf over. Met kloppend hart bleef hij tegen de muur staan. Toen hij zijn ademhaling weer enigszins onder controle had, gleed hij langs de muur in de richting van de voordeur. Hij was er nog ongeveer anderhalve meter van verwijderd, toen de deur werd opengerukt ...

'Als dat onze brave sheriff niet is ...' klonk een stem, die Grisley onmiddellijk herkende.

Het moet gezegd worden, dat de al grijzende sheriff bewonderenswaardig snel reageerde. Terwijl hij een revolver trok, dook hij weg naar de hoek van het ranchgebouw.

PANG! PANG!

Twee schoten verscheurden de stilte. Uit de bomen naast het gebouw vlogen een paar vogels in paniek op. Grisley hoorde het lawaai, dat de dieren maakten, maar het drong nauwelijks tot

hem door. Hij voelde een vreemde pijn aan de linkerkant van zijn lichaam. Of nee, pijn was het eigenlijk niet ... Het was meer of een hand voorzichtig en toch stevig tegen zijn linkerzij duwde ... Duwde ... Hij viel ... Toen wist hij niets meer ...

'Hij is er geweest,' siste Roowey tegen zijn metgezel, nadat hij het lichaam van Grisley met de punt van zijn laars had omgerold. 'Laten we maken dat we wegkomen. Er liggen hier verschillende ranches in de buurt en de kans is groot, dat er iemand op het geluid van de schoten af komt.' Hij stak zijn nog warme revolver in de holster, liep terug naar zijn paard en steeg op. De ander volgde zijn voorbeeld. Even later waren zij opgeslokt door de duisternis.

Witte Veder had die middag niet veel kunnen doen. Onmiddellijk na de zitting was hij met Jim naar het huis van de Carters gegaan. Mister en mrs. Carter waren oude vrienden van de Stanhopes en zij hadden Arendsoogs moeder en zuster dan ook onmiddellijk gastvrij in hun huis opgenomen, toen zij in Dorwan aankwamen.

Met een brok in de keel had Jim, de voorman, een kort verslag van de zitting gegeven.

Mrs. Stanhope probeerde zich goed te houden. Maar ze had zich al dagen niet laten gaan. Ze had niet gehuild, niet wìllen huilen. Ze had gevoeld, dat ze sterk moest blijven. Nu knapte er echter iets in haar. Ze viel voorover op de tafel en huilde verdrietig en wanhopig. Ook Ann kreeg het te kwaad. Mrs. Carter keek haar man met glinsterende ogen aan. Deze haalde de schouders op. Hij kòn niets zeggen, kon geen woorden van troost vinden.

Witte Veder liep naar de tafel toe. Zijn gewoonlijk ondoorgrondelijke gezicht was vertrokken door het grote verdriet dat hij had. Hij legde een arm rond de schouders van de moeder van zijn vriend. Mrs. Stanhope, die Witte Veder al vele jaren als haar tweede zoon beschouwde, snikte het uit in de sterke armen van de Indiaan.

'U niet huilen moeten,' probeerde Witte Veder haar te troosten. 'Alles zal komen goed!'

Mrs. Carter liep naar de keuken om een glas water te halen. De tanden van Arendsoogs moeder klapperden tegen het glas toen zij dronk. Mister Carter had zich samen met Jim intussen over Ann ontfermd. Na enige tijd vermande mrs. Stanhope zich. Ze veegde de tranen uit haar ogen. 'Wat zitten we hier te huilen! Rechter Cleveland heeft ons nog een hele dag gegeven ...' Ze schoof haar stoel achteruit. 'Wat kunnen we nog doen? Waar is Grisley?'

'Ik veronderstel, dat die ook alweer aan het werk is,' meende Jim.

'Wat zitten wij dan hier!' riep mrs. Stanhope uit. Ze begreep, dat ze nu dapper moest zijn. Ze moest de anderen aansporen. 'Ik stel voor, dat Witte Veder nog eens met Smith gaat praten en dat Jim naar Bearning gaat. Misschien herinneren ze zich toch nog iets.' Ze geloofde er zelf niet in, maar dwong zichzelf om de moed niet te laten zakken. Arendsoog rekende op haar!

Niemand had een beter voorstel en dus vertrokken Witte Veder en Jim. Twintig minuten later waren zij weer terug. Het resultaat van hun onderzoek was nul komma nul ... Toen zij verslag uitgebracht hadden bleef het even doodstil.

'Mij gaan naar sheriff,' kondigde Witte Veder dan aan. Zonder vragen of commentaar af te wachten verliet hij het huis. Grisley was niet op zijn kantoor. De deputy wist alleen te vertellen, dat de sheriff zijn paard gehaald had en er in een razende galop vandoor was gegaan.

Witte Veder fronste de wenkbrauwen. Zou Grisley iets ontdekt hebben? Hij haalde zijn eigen paard. Bij navraag in de hoofdstraat hoorde hij, dat Grisley in noordelijke richting vertrokken was. Toen Witte Veder Dorwan verliet maakte een vreemd gevoel zich van hem meester. Voor het eerst in deze zaak vóélde hij, dat nog niet alle hoop verloren was. Het kostte hem weinig moeite het spoor van de sheriff te volgen en evenmin ontging het hem, dat Grisley een andere ruiter volgde. Is het vreemd, dat de Indiaan bijna onmiddellijk aan Roowey dacht?

Op het moment, dat hij de rivier overstak, klonken de

schoten ... Onwillekeurig hield hij zijn paard even in. Toen hij weer verder reed hoorde hij in de verte de hoefslag van meerdere paarden. Waren het er twee? Of meer? Hij zette zijn eigen rijdier tot grotere spoed aan. Hij wist zeker, dat het geluid van de schoten uit de omgeving van de verlaten ranch van Klinkshaw was gekomen.

Vijf minuten later had hij het lichaam van Grisley gevonden. Hij knielde neer en onderzocht de sheriff. Zijn ademhaling was heel zwak. Voorzichtig droeg de Indiaan hem naar het erf, waar hij hem beter kon onderzoeken dan in de duisternis onder de bomen. Op het erf lichtte de maan hem tenminste nog een beetje bij. Een van de twee kogels bleek de oude sheriff in de zij te hebben geraakt. Toen Witte Veder voorzichtig het shirt van de gewonde omhoog trok, kwam Grisley bij. Heel even keek hij Witte Veder verbaasd aan, alsof hij zijn ogen niet durfde geloven. 'Witte Veder ...' zei hij dan zacht. 'Roowey ... heeft me ... neergeschoten ...'

'Sheriff zeer erg veel rustig zijn,' probeerde Witte Veder hem te kalmeren. Grisley werd steeds meer opgewonden.

'Roowey heeft ... iets met de moord ... op Handell te maken ... De derde man ... Hij was bij een andere ... man ...'

'Mij zullen gaan achter Roowey,' zei Witte Veder. 'Maar mij eerst verzorgen jou.'

Grisley schudde het hoofd. 'Nee ... je moet niet ... achter Roowey aan gaan ... Ze hebben een ... grote voorsprong ... Misschien is ... het dan te laat ... Morgen is de laatste dag ...'

Nu was het Witte Veders beurt om verbaasd te kijken. Waarom moest hij niet achter Roowey aangaan? Als de lange vreemdeling de dood van Handell op zijn geweten had, of als hij alleen maar medeplichtig was, kon Arendsoog toch slechts gered worden als hij gearresteerd werd!

Grisley had zich kreunend iets op zijn zij gedraaid. Hij zocht in zijn broekzak. Toen zijn hand weer te voorschijn kwam lag er een sleutel in. Hij gaf hem aan Witte Veder. 'Laat mij ... maar hier liggen,' zei hij met een stem, die snel zwakker werd. 'Je moet ... Arendsoog bevrijden ... voor het te laat is ... Ik neem ... de verantwoording ... Er is geen tijd om ... alles uit te leggen ...

Later ...' Toen verloor hij het bewustzijn weer.

Witte Veder keek naar de roerloze gestalte. Een gevoel van bewondering steeg in hem op. Grisley dacht geen seconde aan zichzelf. Hij wilde niet dat Witte Veder hem naar Dorwan bracht of achter de schurken aan ging. Nee, in de eerste plaats moest Arendsoog 'ontsnappen'. Voorzichtig begon de Indiaan de wond schoon te maken. De kogel had het lichaam van de sheriff weer verlaten. Het projectiel scheen de onderste rib geschampt te hebben. Witte Veder scheurde een paar repen van het shirt van Grisley en legde een noodverband aan. Dan droeg hij het lichaam voorzichtig het verlaten ranchgebouw binnen. In een hoek van de woonkamer lag een grote hoop gedroogd gras, die kennelijk de een of ander tot slaapplaats had gediend. De derde man ...? Hij wierp nog een laatste blik op de gewonde sheriff. Dan verliet hij het gebouw en steeg op. In een snelle galop keerde hij terug naar Dorwan. Onderweg overdacht hij de situatie. Het was duidelijk, dat Grisley iets ontdekt had. Roowey was naar de ranch van Klinkshaw gegaan, waar hij een ontmoeting met een onbekende had gehad. Op zich vormde dit natuurlijk geen nieuw materiaal in Arendsoogs zaak en Cleveland zou ondanks deze nieuwe ontwikkelingen de volgende dag uitspraak moeten doen ... En dat moest ten koste van alles voorkomen worden! Eerst diende onderzocht te worden of en in hoeverre de onbekende, die Roowey ontmoet had, iets met de geschiedenis te maken had. Arendsoog moest dus uit zijn cel bevrijd worden, maar ook moesten er maatregelen getroffen worden om Grisley naar Dorwan te krijgen. Vlak voor hij het stadje in reed, kreeg Witte Veder een idee. Arendsoog was ongetwijfeld niet alleen. Harry Dewill zou hem wel 'gezelschap houden'.

Voor het kantoortje van de sheriff steeg hij af. De deur was op slot en werd pas opengedaan toen Witte Veder geklopt en zijn naam genoemd had. Harry Dewill liet hem binnen. Zo beknopt mogelijk vertelde Witte Veder wat er gebeurd was. Harry Dewill luisterde aandachtig.

'Dus Grisley ligt nu in de ranch van Klinkshaw?' vroeg hij, toen de Indiaan uitgesproken was.

Witte Veder knikte. 'Grisley zeggen jij moeten gaan achter Roowey,' fantaseerde hij dan.

Harry Dewill dacht na. 'Ik heb altijd wel gezegd, dat die Roowey een vuile rol speelde,' mompelde hij. Hij zweeg even. 'Maar wat doen we met Grisley,' ging hij dan verder. 'Als ik Roowey achterna ga, moet iemand anders Grisley ophalen ... Ik denk, dat Tom Swanton dat wel wil doen ...'

Terwijl hij in gedachten verzonken naar het raam liep, glipte Witte Veder achter hem langs naar het traliehek. Arendsoog zat met een somber gezicht op de brits. Witte Veders hand schoot tussen de tralies door ... Verbijsterd keek Arendsoog naar de sleutel, die naast hem op de deken viel. De deputy keerde zich om en Witte Veder haastte zich terug naar zijn plaats bij het bureau. Arendsoog legde snel een hand op de sleutel. Hij keek Witte Veder vragend aan. De Indiaan kon niets anders doen, dan hem geruststellend toeknikken. Het is in orde, wilde hij zeggen.

'Wij zullen gaan?' vroeg hij dan aan Harry. 'Mij weten Roowey en andere man rijden van Klinkshawranch naar oosten.'

Arendsoog begreep, dat deze opmerking meer voor hem dan voor de deputy bedoeld was.

Harry Dewill gespte zijn koppel om en greep zijn hoed. Hij controleerde voor alle zekerheid het slot van de celdeur nog een keer. 'Sorry, Bob, ik moet dit doen hoor ...' verontschuldigde hij zich voor zijn achterdocht. En lachend ging hij verder: 'Maar misschien keert alles zich nu eindelijk ten goede. Aan mij zal het niet liggen. Als die metgezel van Roowey ook maar íéts met de dood van Handell te maken heeft, krijg ik het uit hem ... Al moet ik de woorden er met deze twee handen uit slaan ...' Hij toonde zijn gebalde vuisten. Arendsoog kon een opkomend gevoel van medelijden niet onderdrukken. Medelijden met de onbekende ... Harry Dewills vuisten leken twee enorme mokers!

Harry draaide de olielamp laag. Toen verlieten hij en Witte Veder het kantoortje. Arendsoog luisterde gespannen. Hij hoorde de sleutel omdraaien, daarna het zwakker wordende geluid van Harry's laarzen op de aangetrapte grond. Er verstreek een kwartier. Toen rolde een wagen door de hoofdstraat. Tom

Swanton was op weg om de gewonde Grisley op te halen! Nog geen minuut later passeerden twee ruiters het kantoortje. Harry Dewill en Witte Veder! Arendsoog herkende de hoefslag van het paard van zijn vriend onmiddellijk! Hij wachtte nog een paar minuten. Toen stond hij op, stak zijn hand met de sleutel door de tralies en opende de deur ...

Hoofdstuk 4

Vrij!

Op het erf van Klinkshaws ranch stegen Harry Dewill en Witte Veder af. Ze gingen naar binnen en onderzochten Grisley. Harry lichtte de Indiaan bij met een brandende tak. De sheriff was nog steeds buiten bewustzijn, maar toch ging zijn ademhaling regelmatiger dan eerder op de avond.

'Wat vind je ervan? Kunnen we verder gaan?'

Witte Veder knikte bevestigend. Tom Swanton kon hier binnen een half uur zijn. Tom had zijn oudste zoon meegenomen en had de hulp van Witte Veder en de deputy dus niet nodig. Na nog een laatste blik op de sheriff geworpen te hebben, gingen zij naar buiten en stegen op. Witte Veder probeerde uit te rekenen hoeveel voorsprong Edward Roowey en zijn onbekende metgezel hadden.

Het spoor van de mannen was niet moeilijk te volgen, zeker niet voor de Indiaan. Het werd onze vrienden al spoedig duidelijk, dat de kerels hun toevlucht gezocht hadden in de bergen, die de vallei in het oosten afsloten. Het terrein werd ruiger en ruiger en een kwartiertje later reden zij al tussen de eerste her en der verspreid liggende rotsblokken door. En daar begon Witte Veder aan de tweede fase van zijn plan. Arendsoog moest zich intussen wel bevrijd hebben. Nu ging het erom de hulpsheriff kwijt te raken! Met opzet ging onze vriend steeds langzamer rijden. Verschillende malen steeg hij af en onderzocht de grond nauwkeurig. Het kleinste krasje in de rotsen ontging hem niet, maar hij deed alsof het hem steeds meer moeite kostte het spoor vast te houden. Harry Dewill begon onrustig te worden.

Hij steeg zelf ook af en knielde naast de Indiaan neer. Zijn ongeoefende ogen zagen echter geen enkele aanwijzing.

De Indiaan kwam overeind en keek peinzend om zich heen.

'Je bent hun spoor toch niet kwijt?' vroeg Harry voorzichtig.

'Mij denken mannen omwikkelen benen van paarden met lappen,' antwoordde Witte Veder. 'Daarom mij niet meer zien sporen.'

Harry Dewill mompelde een krachtterm. Op de plaats waar zij zich nu bevonden splitste het dal zich. De schurken hadden drie verschillende richtingen kunnen kiezen! Wat moest hij doen? Hij was niet gewend in dergelijke situaties zelf beslissingen te nemen. Per slot van zake was hij maar deputy en nam de sheriff die beslissingen voor hem.

Witte Veder begreep waar Harry aan dacht. 'Mij denken wij beter keren terug,' zei hij langs zijn neus weg. 'Zijn verstandiger wanneer hulpsheriff waarschuwen andere sheriffs. Schurken niet blijven in district Dorwan.'

'Verdraaid! Je hebt gelijk,' knikte Harry Dewill enthousiast. 'Ik geloof, dat we hier al buiten ons district zijn. Ik heb hier niets te vertellen.' Hij was duidelijk opgelucht, dat er een beslissing gevallen was. 'Als we snel terugkeren kan ik Grisleys collega's in de omringende districten nog vannacht waarschuwen!' Hij kreeg plotseling haast en steeg snel op. 'Op naar Dorwan! Ze krijgen nog heel wat te doen op het telegraafkantoor!'

Witte Veder scheen nog ergens over te piekeren. Hij bleef tenminste op dezelfde plaats staan.

'Wat is er?' vroeg Harry een beetje ongeduldig.

'Mij denken kortste weg naar Dorwan niet leiden langs ranch van Klinkshaw ...'

'Nou en ...?'

'Misschien zijn beter als jij gaan naar Dorwan en mij gaan naar ranch ...'

'Waarom? Ben je bang, dat Tom en zijn zoon Grisley niet goed zullen behandelen? Ik geloof, dat je dat rustig aan die twee kunt overlaten!'

Witte Veder schudde het hoofd. 'Mij niet denken aan Grisley. Maar Grisley zeggen tegen mij hij zien derde man ...

Misschien derde man hebben gewoond in ranch ...'

'Je wilt dáár een onderzoek instellen?' begreep Harry.

Witte Veder knikte haastig, blij dat de deputy niet achterdochtig was geworden. 'Roowey en andere man vertrekken zeer erg veel haastig,' ging hij verder. 'Misschien mij vinden aanwijzingen over andere man ...'

Harry dacht na. Veronderstel, dat Witte Veder inderdaad iets te weten kwam ... Het zou het onderzoek wel vergemakkelijken! 'O.K.!' hakte hij de knoop door. 'Ik ga naar Dorwan en jij naar de ranch van Klinkshaw. Als je iets vindt, laat je het me dan zo gauw mogelijk weten?' Hij wachtte het antwoord niet af, maar wendde zijn paard. 'Dan ga ik er nu snel vandoor.' Toen Witte Veder zijn paard bij de teugels nam, was Harry al in het donker verdwenen.

Maar wat deed de Indiaan nu!? Waarom steeg hij niet op en reed hij niet naar de ranch van Klinkshaw? In plaats daarvan leidde de Indiaan zijn trouwe rijdier naar de zijkant van het dal. Daar, tegen de rotswand, ging Witte Veder zitten ...

Er verstreek een kwartier ... een half uur ... Toen kwam hij langzaam overeind ... Zijn scherpe oren hadden een vaag geluid opgevangen ... De hoefslag van een paard ... Of waren het meerdere paarden ...?

Zonder geluid te maken liep Arendsoog naar het bureau en draaide de olielamp helemaal uit. Enkele tientallen seconden bleef hij roerloos staan. Toen waren zijn ogen gewend aan de duisternis. Door het raam aan de kant van de hoofdstraat viel een vage streep maanlicht, die een gele baan trok over de kale, houten vloer. De streep liep dood tegen de deur, die van het kantoor naar het woonhuis van de Grisleys leidde. Arendsoog dacht even na. Zover hij wist waren er van de voordeur maar twee sleutels. De één had Harry Dewill, de ander moest Grisley bij zich hebben. Daarom richtte hij zijn aandacht op de tweede deur. Voorzichtig draaide hij de knop om. Zoals hij al verwacht had, was ook deze deur op slot. Zou Grisley de sleutel ervan ook bij zich hebben ...? Hij zou het antwoord spoedig weten. Onhoorbaar liep hij naar het bureau en trok de bovenste lade open. Zijn hand zocht tastend tussen de rommel. Hij voelde papieren, een doosje, een mes en nog vele andere voorwerpen, maar geen sleutel! Eindelijk, in de derde lade had hij meer succes. Een minuut later stond hij in de gang van Grisleys woonhuis. Hij hoorde de vrouw van de sheriff stommelen in de keuken. Als haar man nog aan het werk was, bleef mrs. Grisley vaak laat op, wist Arendsoog. Op zijn tenen sloop hij naar de voordeur. Toen hij in de hoofdstraat stond haalde hij diep adem. Hij was vrij ... Vrij ...! Hij wilde de hoek van een zijstraat om slaan, toen hem iets te binnen schoot. Hoe kon hij zo dom zijn om dat te vergeten! Zijn wapens ...! Hij had geen seconde aan zijn koppel en revolvers gedacht, die achter het bureau van de sheriff aan de muur hingen. Hij dacht even na. Tja, er zat niets anders op dan teruggaan! Weer beleefde hij tien spannende minuten. Toen hij voor de tweede maal in de hoofdstraat stond, voelde hij zich echter veel geruster. Vanuit het donker in de zijstraat naast het kantoor van de sheriff keek hij naar de stalhouderij aan de overkant van de hoofdstraat. De deuren stonden wijd open en de stalhouder was nog aan het werk. Arendsoog vroeg zich af wat hij moest doen. Het was heel goed mogelijk dat de stalhouder nog uren aan het werk bleef. Zolang kon onze vriend niet wachten. Iedere seconde die hij in Dorwan doorbracht was er één teveel! Toch zou hij de stalhouderij binnen moeten gaan om Lightfeet te zadelen ... Onwillekeurig schudde hij het hoofd. Nee, dat kon niet. Dan maar zonder zadel, besliste hij. Hij trok zich nog iets verder terug in de zijstraat. De huizen stonden hier dicht bij elkaar en het was er stikdonker. Hij zette twee vingers aan de mond. Heel even weifelde hij nog; toen floot hij hard ...

Met ingehouden adem luisterde hij naar de geluiden, die uit de stalhouderij tot hem doordrongen. Eerst klonk het geluid van een paard dat kwaad met de hoeven op de grond sloeg, onmiddellijk gevolgd door de kalmerende stem van Clayton, de stalhouder.

'Rustig maar, jongen ...! Rustig! Begin je genoeg te krijgen van het wachten op je baas ...' Clayton streelde Lightfeet over de hals, maar het trotse dier had geen tijd voor de stalhouder, die het toch echt wel goed met hem meende. Hij schudde wild met zijn hoofd.

'Nou, nou! Kan het niet een beetje kalmer ...' Claytons stem klonk nu verontwaardigd. Hij was geschrokken van de woeste uitval van het paard, dat hij meende goed te kennen. Lightfeet stampte weer wild op de grond. Clayton trok zich haastig terug uit de box. De ervaring had hem geleerd, dat een trap van een onrustig paard hard kon aankomen! Nauwelijks had de stalhouder hem de rug toegekeerd of Lightfeet deed een pas naar voren. Het leek wel of het de bedoeling van het schrandere dier was geweest om Clayton uit zijn buurt te krijgen! In de muur voor hem zat een grote ring, waaraan zijn leidsels bevestigd waren. En nu bleek weer eens hoe goed de training die Arendsoog hem gegeven had, van pas kwam! Lightfeets lippen tastten de knoop af ... Toen klemde hij een van de uiteinden van de teugels tussen de tanden en trok het hoofd achteruit ... De knoop schoot los ...

'Hé ...! Duivel ...! Wat ben jij aan het doen!?' riep Clayton, die haastig naderbij kwam.

Lightfeet wachtte het moment niet af waarop de stalhouder de leidsels opnieuw vast zou maken. Voor Clayton begreep wat er gebeurde stapte het schrandere dier achteruit de box uit ... Hij hinnikte triomfantelijk, verhief zich op de achterbenen en stoof dan de stalhouderij uit ...

Toen Clayton de deur bereikt had, was Lightfeet al in de zijstraat verdwenen!

Arendsoog floot nogmaals, zachter nu. Lightfeet hield snelheid in en kwam vlak naast zijn baas tot stilstand. Hij was dolgelukkig Arendsoog na vele dagen weer te zien en duwde zijn neus in de strelende hand van zijn meester. Er was echter geen tijd voor een uitgebreide 'begroeting'. De stalhouder kwam de zijstraat reeds in hollen en op zijn geschreeuw kwamen de eerste nieuwsgierigen naderbij ...

Met een lenige sprong zat Arendsoog op de rug van zijn paard. Hij klopte het op de hals ... Lightfeet begreep, dat zijn baas haast had. Hij had geen verdere aansporing nodig ... Als een pijl uit de boog schoot hij vooruit en verdween om de hoek aan het eind van de zijstraat ...

Toen hij Dorwan achter zich gelaten had, hield Arendsoog Lightfeet iets in. Het had geen zin het dier uit te putten. Hij hoopte het niet, maar de mogelijkheid bestond, dat hij later in de nacht nog een beroep op Lightfeets snelheid moest doen!

Hij was nog ongeveer anderhalve mijl van de ranch van Klinkshaw verwijderd, toen Tom Swanton hem met zijn wagen tegemoet kwam. Arendsoog zocht snel dekking achter een groep struiken en wachtte tot de droeve stoet gepasseerd was. Het kostte hem werkelijk moeite op zijn plaats te blijven. Het liefst was hij uit zijn schuilplaats te voorschijn gekomen om te zien hoe het met zijn vriend Grisley gesteld was. Toen de wagen achter een lage heuvel verdwenen was, vervolgde Arendsoog zijn tocht.

Bij Klinkshaws ranch was het nu doodstil. Alleen de vele sporen van paarden en de wagen verrieden, dat het hier nog niet zo lang geleden een komen en gaan was geweest. Hij steeg af en wierp een vluchtige blik in en rond het ranchgebouw. Alles wees erop, dat de een of ander hier enige dagen verblijf gehouden had: het geïmproviseerde bed van gedroogd gras, etensresten, een exemplaar van de 'Koerier van Dorwan' van drie dagen geleden, peukjes van sigaretten enzovoort, enzovoort ...

Na een minuut of tien steeg onze vriend weer op. Het was kinderspel voor hem om het spoor van Witte Veder en Harry Dewill te vinden. Zijn Indiaanse vriend had er wel voor gezorgd, dat er geen twijfel hoefde te bestaan over de richting die zij gekozen hadden. In een flink tempo reed Arendsoog in de richting van de bergen ...

Roerloos stond de Indiaan in de duisternis bij de rotswand. Hij had zijn hand over de neus van zijn paard gelegd om te voorkomen, dat het dier zijn aanwezigheid zou verraden. De oren van Witte Veder waren tot het uiterste gespannen. Was het één paard of waren het er meer ...? Toen begreep hij, dat de echo hem parten dreigde te spelen. Het was maar één paard! Nog heel even bleef hij staan, toen kwam hij te voorschijn en wachtte rustig af. Hij had de hoefslag van Lightfeet herkend.

Het is nauwelijks nodig te zeggen, dat de begroeting van de twee vrienden meer dan hartelijk was! Ze spraken geen woord, maar de manier waarop zij elkaars hand grepen sprak boekdelen.

'Voor het eerst in mijn leven begrijp ik pas goed wat het betekent om als vrij mens rond te lopen,' zuchtte Arendsoog. 'En dat terwijl ik het eigenlijk niet màg ...' Hij liet Lightfeets teugels los. Het trouwe dier liep onmiddellijk naar Witte Veders paard en ook zij begroetten elkaar als 'oude vrienden'.

In enkele korte zinnen vertelde Witte Veder hoe hij erin geslaagd was Harry Dewill kwijt te raken.

'Op dit moment zijn die telegrammen naar de collega's van Grisley waarschijnlijk al onderweg,' veronderstelde Arendsoog, toen zijn vriend zweeg. 'Als de verschillende sheriffs in de omgeving snel reageren komen Edward Roowey en zijn metgezel niet ver ...'

'Jij denken sheriff ook kijken naar Arendsoog?'

'Naar míj!? Waarom zou ...' Hij zweeg plotseling. Verdraaid, Witte Veder had natuurlijk gelijk. Harry Dewill zou ongetwijfeld dezelfde sheriffs vragen uit te kijken naar een ontsnapte gevangene! Gedurende enige minuten hing er een vreemde stilte. Tientallen gedachten speelden door Arendsoogs hoofd. Veronderstel, dat zij er niet in zouden slagen Edward Roowey en zijn vriend te pakken te krijgen ... Veronderstel, dat zij het tweetal niet tot een bekentenis konden dwingen ... Hij schudde het hoofd. Er was nog niets bewezen en toch ging hij er al van uit, dat Roowey en de derde man de ware schuldigen waren. Ook deze gedachte zette hij echter gauw van zich af. Als de twee kerels er niets mee te maken hadden, wie dan wel ...?! Zou hij dan de rest van zijn leven moeten blijven vluchten voor de wet; zou hij zich dan nooit meer in Dorwan en Mining-Valley kunnen vertonen ...?! Altijd op zoek naar de werkelijke moordenaar van Handell, een moordenaar van wie hij niets af wist ... In een visioen zag hij zich al allerlei slinkse wegen bewandelen om zijn moeder en zuster te kunnen zien en even in hun nabijheid te kunnen zijn.

Witte Veder haalde hem gelukkig tot de werkelijkheid terug.

De Indiaan had aangevoeld waar zijn vriend over piekerde. 'Roowey of andere man moeten zijn moordenaar,' zei hij nuchter. 'Waarom zij anders neerschieten sheriff Grisley!? Zij bang zijn omdat Grisley ontdekken derde man ...'

'Je hebt gelijk,' antwoordde Arendsoog, terwijl hij alle sombere gedachten uit zijn geest bande. 'Laten we achter de schurken aan gaan. Tot de waarheid aan het licht is gekomen, ben ik een 'gezocht misdadiger' ... Ik kan me maar het best zo weinig mogelijk overdag laten zien.'

Witte Veder was het roerend met hem eens en dus stegen ze weer op. Arendsoog voelde zich heel wat opgeluchter dan een kwartiertje geleden. Per slot van zake zaten ze de schurken nu op het spoor en het zou aan hem niet liggen als aan het eind van dat spoor een bekentenis werd afgelegd, die van hem een echt vrij mens maakte ...

Als hij geweten had wat hem allemaal nog boven het hoofd hing, zou hij zeker niet zo opgelucht zijn geweest ...

Hoofdstuk 5

De 'boss'

Acht etmalen en vele honderden mijlen later reden twee doodvermoeide reizigers de stad Albuqerque in de staat Nieuw-Mexico binnen. Bij de eerste de beste saloon hield een van de twee ruiters, een lange, magere kerel, met een ruk zijn paard in. Moeizaam liet hij zich uit het zadel glijden. 'En nu kan gebeuren wat wil, maar ik ga vandaag geen mijl verder ... Ik sterf van de dorst!'

Zijn kameraad, die zeker een hoofd kleiner was, volgde schouderophalend zijn voorbeeld. 'Ik vind het best om iets te drinken, maar je moet niet denken dat ik één uur langer in deze stad blijf dan nodig is.'

De lange kerel, in wie wij Edward Roowey al herkend hebben, sloeg de teugels om de balk voor de saloon. 'Wat heb je toch een haast ... Ben je bang, dat je je geld niet krijgt?'

Ze liepen de saloon binnen.

'Je vergeet één ding, maat,' zei de kleine. 'Ik ken die boss van jou niet en ik moet jou dus maar op je woord geloven, dat hij zo goed van betalen is als jij zegt.'

De lange keek verontwaardigd, iets wat hem bepaald misstond. 'Heb je te klagen gehad? Je hebt je voorschot toch ook onmiddellijk gehad, is het niet?'

'Je hoeft je niet zo druk te maken, man,' snauwde de kleine. 'Denk er goed aan, dat ik met jouw boss eigenlijk niets te maken heb. Jíj hebt mij 'aangenomen' en jij hebt er dus maar voor te zorgen dat ik mijn centen krijg. Zo niet ...' Hij maakte een gebaar, dat aan duidelijkheid niets te wensen overliet.

De lange Roowey knipperde even met de ogen, wat de ander niet ontging. Edward Roowey hoorde zeker niet thuis in de categorie 'helden'! 'Ik heb je gezegd hoeveel ik voor dit karweitje krijg en dat ik samsam met je wil doen,' antwoordde hij kort.

'Dat weet ik en ik zal je er ook aan houden!'

De barkeeper, die vragend bij hen kwam staan, onderbrak het gesprek.

'Twee dubbele whiskey,' zei Roowey kort.

De eigenaar van de saloon schonk de glazen vol. De kleine hief het zijne zwijgend op, keek even naar de inhoud en sloeg het dan achterover. 'Noemen ze dat hier whiskey,' gromde hij. 'Het is water met een smaakje.'

Edward Roowey keek zijn metgezel van opzij aan. Wat mankeerde hem vandaag. Het einddoel van hun lange rit was bijna bereikt. Volgens de instructies die hij gekregen had hield de 'boss' zich in de onmiddellijke omgeving van Albuqerque op. Morgen, en als het per se moest zelfs vandaag nog, zouden zij hun 'beloning' krijgen. Hij vroeg zich af of hij zijn maat reden had gegeven om argwanend te zijn. Enfin, misschien was hij het alleen maar beu. 'Zeg Sloan,' probeerde hij het gesprek weer op gang te brengen. 'Wat was jij van plan te gaan doen met jouw deel van de beloning?'

De kleine wipte de inhoud van zijn tweede dubbele whiskey door zijn keelgat. 'Gaat je geen snars aan,' gromde hij. 'Zorg er eerst maar voor, dat ik mijn geld krijg.'

Roowey, die toch werkelijk geprobeerd had de stemming iets te verbeteren, werd kwaad. 'Verd ... Ik begin schoon genoeg van je te krijgen. De laatste drie dagen zijn er alleen maar snauwen en grauwen over je lippen gekomen ...'

Sloan keek hem minachtend aan, maar zei niets.

'Als je het mij vraagt begin je hem te knijpen,' ging Roowey onvoorzichtig verder.

Sloan zette zijn glas met een klap neer. Het mag een wonder heten, dat het heel bleef. 'Ik hem knijpen ... Verstond ik je goed?' Hij kneep zijn ogen samen tot kleine spleetjes. 'Wil jíj insinueren, dat ik hem knijp ...? Zal ik jou eens wat zeggen, vader. Je bent de grootste lafbek en de grootste stommeling die ik ooit gezien heb ...'

Roowey, die zo'n uitbarsting niet verwacht had, sperde zijn ogen wijd open. 'Je durft veel te zeggen,' kreeg hij eruit. De toon waarop hij sprak was dreigend bedoeld, maar had geen enkel effect.

Sloan prikte zijn vinger in de borst van de lange man. 'Hoe heb ik het eraf gebracht ...? Goed of niet?'

'Eh ... Goed, natuurlijk,' stotterde Roowey.

'Dat dacht ik ook. Níémand in Dorwan heeft mij gezien. Ik heb ervoor gezorgd, dat er maar één verdachte was. Ik heb het gevaarlijkste deel van het karwei opgeknapt. En wat doe jij als alles achter de rug is en de uitspraak nog slechts een kwestie van tijd is ... Wat doe jij ...?' De vinger prikte nog harder in Rooweys borst. 'Jij laat je als de eerste de beste amateur door de sheriff volgen ... Jíj brengt hem naar mijn schuilplaats ... Jij laat ...'

'Wat moest ik dan doen?' onderbrak Roowey hem. 'Als ik op de vlucht geslagen was zou hij argwaan gekregen hebben ...'

'Wil je beweren, dat hij nog geen argwaan koesterde!' riep Sloan verbijsterd uit. 'Man je bent volkomen getikt! Waarom dacht je dan, dat hij achter je aan kwam? Geloof me nu maar, hij hield je allang in de gaten. En in plaats, dat je ervoor zorgt hem kwijt te raken breng je hem regelrecht naar die verlaten ranch waar je hem in paniek neerknalt ...'

Roowey had een kleur gekregen. 'Wat kan mij dat nog schelen? Die sheriff zal zijn mond wel nooit meer open doen ...!'

Sloan trok een wenkbrauw op. 'Je vergeet één ding, vriend ... Naar de moordenaar van Handell zal nooit meer gezocht worden nadat Stanhope veroordeeld is. Dat is echter niet het geval met de moordenaar van de sheriff ... als deze het hoekje om gegaan is.'

'Bedoel je ... dat ...'

'Ik bedoel dat een slimme jongen in die ranch een heleboel aanwijzingen kan vinden, die hem op jouw en mijn spoor zetten. Je weet dat er nogal wat rivaliteit bestaat tussen de sheriffs in de verschillende staten. Maar je weet misschien ook, dat ze plotseling een eensgezinde groep vormen als het om moord op een van hun collega's gaat ... Ik kan je verzekeren dat ze de onderste steen boven zullen halen om die moordenaar te pakken te krijgen ...!'

Roowey kreeg het zichtbaar benauwd. 'Zouden ze ons in Nieuw-Mexico ook zoeken?'

Sloan twijfelde er niet aan. 'Ik zou me zwaar vergissen als dat niet het geval was. Het is ook nog mogelijk dat Grisley tegen iemand in Dorwan gezegd heeft dat hij achter jou aanging. In dat geval heeft men al een heel belangrijke aanwijzing over de mogelijke moordenaar ...'

Roowey werd nerveus.

'Begint het een beetje te dagen?' ging Sloan onbarmhartig verder. 'Begrijp je nu waarom ik zo gauw mogelijk mijn centen wil hebben? Míj zoekt niemand ... Met jou is dat niet het geval. Je gezelschap is me aangenaam geweest, maar ik zie nu toch wel verlangend uit naar het moment waarop ik je alleen kan laten.'

Zijn woorden misten hun effect niet. Roowey zocht in zijn zakken naar een verfomfaaide enveloppe. Hij riep de eigenaar van de saloon en liet hem de afzender lezen.

'De "Three Points",' mompelde hij, terwijl hij diep nadacht. 'Ik kan me vergissen maar ik geloof dat de ranch van Queen zo heet ...' Hij wendde zich tot een van de aanwezigen. 'Hé Charley, hoor eens ...' De aangesprokene, een gezellig mannetje, kwam naderbij. Hij begroette de vreemdelingen door even aan zijn hoed te tikken. 'Deze heren zoeken de "Three Points",' ging de barkeeper verder. 'Heet de ranch van Queen niet zo?'

Charley knikte en schoof zijn hoed iets naar achteren. 'Inderdaad, Mike. De ranch ligt zes mijl ten oosten van de stad. Na Queens dood heeft zijn weduwe er nog een paar maanden gewoond, maar het werk was domweg te veel voor haar. Ze heeft het vee verkocht, maar slaagde er, voor zover ik weet, nog niet in de ranch voor een goede prijs van de hand te doen. Had u belangstelling voor de "Three Points"?' En zonder het antwoord af te wachten, ging hij verder: 'De weduwe van Queen woont nu bij haar zuster in Georgetown. Daar moet u dus naar toe ...'

'Bedankt Charley,' lachte Mike. 'Charley is redacteur van de "Albuqerque Herald",' legde hij Roowey en Sloan uit. 'Hij weet alles ...'

Roowey bedankte de barkeeper, betaalde de drank en liet een flinke fooi liggen. Een minuut later waren zij op weg naar de ranch van de weduwe Queen. 'Het klopt allemaal als een zwerende vinger,' zie Roowey tegen zijn maat. 'De boss schreef me, dat hij een ranch had gehuurd die leeg stond omdat er nog geen koper voor gevonden was.'

Sloan gaf geen antwoord.

Toen de twee ruiters het erf van de 'Three Points' op reden, kwam de rijzige, niet onknappe man haastig overeind en liep naar het raam. Onwillekeurig was zijn hand naar zijn holster gegleden. Toen hij Roowey herkende ontspande hij zich. Hij vroeg zich af wie de metgezel van de lange noorderling zou zijn. Hij liep terug naar de open haard, waarin geen vuur brandde, en liet zich weer in de gemakkelijke stoel zakken. De deur ging open en Roowey en Sloan kwamen binnen. Rooweys gezicht was één brede glimlach. 'Hello boss!' juichte hij bijna.

De boss keurde hem nauwelijks een blik waardig, maar nam Sloan aandachtig op. 'Wie is hij?'

Roowey stelde zijn kameraad voor. In enkele zinnen vertelde hij welk deel van het 'karwei' Sloan had opgeknapt.

De boss luisterde zwijgend, maar zijn ogen vernauwden zich tot kleine spleetjes. Toen Roowey uitgesproken was, bleef het even stil. 'Wie had jou gezegd dat je iemand anders erbij kon halen?' vroeg de boss dan op een ijzige toon.

'Ik ... eh ... Toen ik in Dorwan kwam en de situatie daar eens opnam, bleek me al gauw dat ik het alleen niet af kon,' zei Roowey.

Weer bleef het even stil. 'Of ... kreeg je het benauwd toen puntje bij paaltje kwam?' gromde de boss.

'Helemaal niet ...,' haastte Roowey zich. 'Ik dacht ...'

De boss luisterde niet naar hem. Hij wendde zich tot Sloan. 'Jij begrijpt zeker wel, dat je in een vervelende situatie bent, hè?'

Sloan begreep dit helemaal niet. Integendeel, als hij nu zijn

geld maar kreeg, zag het er allemaal bijzonder rooskleurig uit!
'Ik ben best in staat mijn eigen boontjes te doppen,' zei hij, een beetje geïrriteerd. 'Geef mij mijn geld en je ziet me nooit meer.'

'Geld!?' De boss riep het uit op een gemaakt verbaasde toon. 'Denk je dat ik je ook maar één cent zal uitbetalen?'

Sloans slapen werden plotseling rood van woede. 'Wil je zeggen, dat ik kan fluiten naar ...'

De boss onderbrak hem. 'Met wat Roowey met je afspreekt, heb ik niets te maken ... Dat vecht je maar met hem uit ...'

Sloans stem trilde van verontwaardiging. 'Luister eens, lange. Ik ga hier de deur niet uit zonder de vijfhonderd dollar die ik tegoed heb, snap je dat ...'

De boss wees in Rooweys richting. 'Vraag het hem maar.'

Sloan greep Roowey bij zijn revers. 'Ik raad je aan nu maar zo gauw mogelijk over de brug te komen, vader,' zei hij dreigend.

Roowey kreeg het benauwd en rukte zich los. Het was goed te zien dat hij bang was voor Sloan. 'Ik heb hem de helft beloofd van wat je mij zou geven, boss,' kreeg hij er uit.

'Dat moet jij weten,' antwoordde de ander. 'Vergeet echter niet dat ik je niet gezegd heb, dat je het vandáág zou krijgen ...'

Rooweys mond zakte open. Hij hapte naar adem, evenals Sloan die ziedde van woede. 'Dàchten jullie dat,' siste hij. 'Dachten jullie werkelijk dat ik hier in trap ...'

De boss stond op. Hij was iets kleiner dan Roowey, maar stak toch meer dan een half hoofd boven Sloan uit. 'Je hebt veel praats,' zei hij, kleinerend. 'Je vergeet, dat ik mijn mond maar open hoef te doen om je achter de tralies te krijgen ... Ik zou dus maar een toontje lager zingen ...'

Dit maakte de maat vol! Sloans rechterhand schoot omlaag ... De boss knipperde nauwelijks met de ogen, toen de revolver dreigend naar zijn borst wees. 'Ik wil mijn geld. En vlug ...!' siste Sloan.

De boss speelde zijn rol fantastisch. Er verschenen een paar denkrimpeltjes boven zijn wenkbrauwen. 'O.K.,' mompelde hij dan. 'Jij wint ... Ik heb je onderschat ...' Hij stak zijn rechterhand in de binnenzak van zijn kolbert ...

PANG!

Sloans bovenlichaam maakte een beweging alsof iemand hem een harde klap had gegeven. Hij greep naar zijn borst. De revolver gleed uit zijn hand ... Zijn knieën knikten ... Hij probeerde steun te vinden bij de rand van de tafel ... Zonder een kik te geven zakte hij toen in elkaar.

De boss blies nonchalant in de loop van de kleine revolver en stak het wapen terug in de schouderholster ...!

'Je moet altijd op alles voorbereid zijn,' zei hij. Hij stapte over het roerloze lichaam heen en liep naar de andere kant van het vertrek. Hij pakte wat spullen bij elkaar en stopte ze in een paar zadeltassen. 'Kom mee, Roowey. We gaan ...!'

Vijf minuten later reden de twee schurken het erf van de 'Three Points' af. Sloans paard voerden zij bij de leidsels mee ...

Hoofdstuk 6

De fout van Sloan

Het was avond toen Arendsoog en Witte Veder Albuqerque binnenreden. Sinds zij de staat Arizona achter zich gelaten hadden, had Arendsoog zich een stuk beter gevoeld. De nachtmerries die hem de afgelopen dagen in zijn slaap hadden achtervolgd, verstoorden zijn rust niet meer. De dag tevoren hadden zij zich voor het eerst weer in de bewoonde wereld gewaagd. Toch klopte Arendsoogs hart iets sneller toen zij door de hoofdstraat van Albuqerque reden. Hij trok zijn hoed dieper over zijn ogen en kon niet nalaten Lightfeet bij het sheriffkantoor even in te houden. Op het mededelingenbord naast de deur hingen vijf grote vellen papier met het beruchte 'WANTED' (gezocht) erboven ... Met een zucht van verlichting constateerde onze vriend, dat zijn naam er niet bij was.

Ongeveer halverwege de hoofdstraat was een kleine herberg. Hier stegen ze af. Het was niet druk in het kleine vertrek. Ze namen een tafeltje achterin en bestelden een stevige maaltijd. Toen de herbergier de dampende schalen voor hen neerzette, informeerde Arendsoog langs zijn neus weg naar de twee vreemdelingen. Helaas kon hij alleen Rooweys uiterlijk beschrijven. De herbergier dacht diep na. Hij schudde het hoofd. 'No, sir, die zijn niet hier geweest ... Maar ik herinner me wel dat er vanmiddag twee strangers in Mikes saloon waren. Ik haalde daar zelf een pilsje ...'

'In Mikes saloon?' onderbrak Arendsoog hem. 'Hoe laat was dat?'

'Tja, laat eens kijken ... De laatste klant had ik weggewerkt ...

Ik denk, dat het een uur of drie was.'

Arendsoog bedankte de man en begon zijn bord vol te scheppen. Hij was zover weg met zijn gedachten, dat hij niet eens bemerkte dat hij de hele schaal leeg maakte! Zouden zij de eerste de beste keer al geluk hebben?

Vrouwe Fortuna bleek hun inderdaad goed gezind te zijn. Mike herinnerde zich de twee vreemdelingen maar al te goed en vertelde Arendsoog hoe zij eruit zagen en waar ze naar toe waren gegaan.

'Ik twijfel er geen seconde aan of die lange is Roowey,' zei Arendsoog, toen zij in het donker Albuqerque verlieten. 'De eigenaar van de saloon gaf een goede beschrijving van de schurk.'

'Jij denken andere, kleine man zijn moordenaar van Handell?' vroeg Witte Veder.

'Je moet altijd voorzichtig zijn met je beschuldigingen,' antwoordde Arendsoog. 'Maar als je het mij vraagt kon je wel eens gelijk hebben. Grisley vertelde jou, dat Roowey een onbekende had ontmoet in de ranch van Klinkshaw. Wíj zochten al dagen naar een 'onbekende', een 'derde man', de werkelijke moordenaar van Handell. Roowey en deze derde man gaan ervandoor nadat ze Grisley hebben neergeschoten. Wij volgen ze en krijgen hier voor het eerst te horen hoe de derde man eruit ziet ...' Hij knikte in gedachten. 'Tja, ik geloof inderdaad dat de moordenaar van Handell een klein mannetje is, klein in verhouding met de lange Roowey tenminste!'

Zwijgend reden zij enige tijd verder. Na een minuut of veertig doemden in de verte de omtrekken van de 'Three Points' op. Op veilige afstand hielden zij hun paarden in en stegen af. Te voet gingen zij dan verder. Bij het hek dat het erf omgaf, bleven zij staan. Arendsoog wees zijn vriend op twee letters, die boven dit hek in een groffe plank gebrand waren: een T en een P.

'We zitten goed, boy! Dit is de "Three Points",' fluisterde hij.

Zonder ook maar het geringste geluid te maken slopen zij nu het erf over, dat vaag verlicht werd door het licht van de maan. In en om de ranch bleef het doodstil ... Zouden de vogels gevlogen zijn? Onderaan het kleine trapje dat naar de veranda leidde stootte Witte Veder zijn vriend aan. De scherpe oren van de Indiaan hadden een geluid opgevangen. Arendsoog bracht een hand achter de rechter-oorschelp en spande zich in.

'Het lijkt wel alsof er iemand binnen ligt te kreunen,' fluisterde hij.

De Indiaan gaf geen antwoord, maar zette een voet op de onderste trede van het trapje. De planken kraakten zo hard, dat hij geschrokken zijn voet weer terugtrok. Arendsoog was op het ergste voorbereid en had reeds een revolver in de hand. Nog steeds bleef het echter doodstil. De cowboy trok de wenkbrauwen op. Was er nu wel of niet iemand binnen ...!? Dat kreunen ... Er moest iemand gewond zijn! Of was het een valstrik ...?

Resoluut hakte hij de knoop door. Met één flinke sprong was hij op de veranda. Naast de voordeur hurkte hij neer. Witte Veder had zich klein gemaakt achter een struik naast het trapje. Er gebeurde niets ...

Arendsoog wenkte Witte Veder, die zich met een lenige sprong bij hem voegde. 'Dek me!' siste de cowboy. Witte Veder wist wat er van hem verwacht werd en hield de deur onder schot. Heel langzaam draaide Arendsoog de knop omlaag ... Toen smeet hij de deur plotseling wijd open ... Wat Arendsoog ook verwacht mocht hebben; er gebeurde helemaal niets! Er kwam niemand te voorschijn, er klonk geen schot, niets ... Alleen het kreunen was duidelijker hoorbaar geworden ...

Als een kat sloop Arendsoog het ranchgebouw binnen. Even liet hij zijn ogen wennen aan de duisternis in het vertrek. Dan vervolgde hij zijn sluiptocht naar de lage tafel bij de open haard, waar hij een olielamp zag staan. Onze vriend deed zijn bijnaam eer aan! Ieder ander zou zich waarschijnlijk gestoten hebben aan de tafel, de bank of een van de stoelen. Arendsoog omzeilde alle obstakels echter feilloos. Hij was er intussen zeker van, dat er behalve de kreunende figuur naast de tafel niemand anders in het vertrek was. Er lichtte een vlammetje op ... De pit van de olielamp nam het vuur over. Een gelig licht verspreidde zich door de kamer.

Arendsoog kwam overeind. 'Er is niemand hier, behalve deze

arme stakker,' zei hij tegen Witte Veder. De Indiaan knielde al neer naast de gewonde.

'Wil jij hem onderzoeken, boy? Intussen kijk ik of er iemand in een van de andere vertrekken is.' Het ranchgebouw telde maar één verdieping en Arendsoog wist dus al gauw, dat zij alleen waren. Voor alle zekerheid keek hij ook nog even in de stallen en in de omgeving. Gerustgesteld ging hij het hoofdgebouw weer binnen.

'Er is niemand, boy. Hoe is het met hem?'

De Indiaan keek zijn vriend ernstig aan en schudde het hoofd.

Arendsoog schrok en knielde naast hem neer. 'Is het zo erg?'

Witte Veder wees op een kleine wond in de borst van de man. 'Hij verliezen zeer erg veel bloed.'

'Kunnen ... kunnen we niets doen? Kunnen we hem echt niet meer helpen?'

Weer schudde de Indiaan het hoofd. 'Alleen operatie kunnen helpen. Maar man zijn zeer erg veel zwak voor vervoeren en operatie.'

Arendsoog stond op en ging op een van de stoelen zitten. Peinzend keek hij naar de gewonde. Het uiterlijk van de man klopte wonderwel met de beschrijving die Mike uit de saloon in Albuqerque van Rooweys metgezel gegeven had. Zou hij de moordenaar van Handell zijn ...? Witte Veder sleepte uit een van de andere vertrekken een matras aan. Samen tilden zij de gewonde voorzichtig op en legden hem erop. Machteloos stonden zij naast elkaar.

De man ijlde af en toe. Flarden van zinnen, losse woorden en onverstaanbare klanken ... Onze vrienden schonken er geen aandacht aan. Arendsoog haalde een kom water uit de pomp en bevochtigde de lippen van de gewonde. Plotseling bleef hij roerloos zitten ... Had hij het goed gehoord ...? Mompelde de man inderdaad zijn naam? Hij boog zich dieper over hem heen en luisterde met ingehouden adem.

'... niet ... Stanhope ...' Het klonk nu heel duidelijk.

Arendsoog keek Witte Veder veelbetekenend aan. De Indiaan was aan de andere kant van de gewonde op de grond gaan zitten.

'Heeft Stanhope Handell niet vermoord ...? Bedoel je dat?' vroeg Arendsoog.

Zijn woorden drongen niet door tot het bewustzijn van de man. Af en toe deed hij zijn ogen wijd open en staarde naar iets, dat Arendsoog en Witte Veder niet konden waarnemen. Ineens maakte hij een beweging alsof hij overeind wilde komen. De poging mislukte en als Arendsoog hem niet gauw ondersteund had, zou hij achterover gevallen zijn. Nu bleef hij in een halfzittende halfliggende houding in Arendsoogs armen hangen. Zijn stem klonk onwaarschijnlijk helder toen hij sprak.

'Ik heb ... een fout ... Stanhope ... onschuldig ... nog iemand ... na ... Stanhope ... ik ... ik ... cheque ...' Hij zweeg en haalde een paar keer gejaagd adem. 'De ... cheque ... bewijs ...' Plotseling viel zijn hoofd achterover ...

Arendsoog liet het lichaam voorzichtig zakken. Hij voelde de pols van de man en luisterde aan zijn borst. Toen kwam hij overeind. 'Hij is dood, boy,' zei hij zacht.

Uren later zaten onze twee vrienden tegenover elkaar in de woonkamer van het ranchgebouw. Voor Arendsoog op tafel lag de koppel van de dode. Achter de ranch hadden zij de man in zijn laatste rustplaats gelegd. Het was duidelijk, dat zij nog onder de indruk waren van alles wat er in de afgelopen uren was gebeurd. Arendsoog stak een sigaret op en nam een zware trek. Hij keerde de koppel om, zodat hij met de binnenkant naar boven lag. Vlak naast de gesp was een naam in het leer gebrand: J. Sloan.

'Als deze koppel niet gestolen is, was dat waarschijnlijk de naam van Handells moordenaar,' zei Arendsoog, meer in zichzelf dan tegen Witte Veder.

'Jij zeker weten man zijn moordenaar?'

'Hij heeft weliswaar geen "bekentenis" afgelegd,' antwoordde Arendsoog, 'maar hij zei toch letterlijk dat ik onschuldig was en dat hij een fout had gemaakt. ... Het is wel de grootste fout die men kan maken: iemand anders van het leven beroven.'

'Misschien hij bedoelen hij maken fout bij moord ...' opperde Witte Veder.

Arendsoog keek hem vragend aan. Hij liet de woorden van zijn vriend tot zich doordringen. 'Wacht eens even,' mompelde hij dan. 'Je kon wel eens gelijk hebben ... In dat geval wilde hij zeggen: "Ik heb een fout gemaakt, toen ik Handell vermoordde. Stanhope is onschuldig. Na hem is er nog iemand in de Bank geweest."' Hij zweeg even en dacht na. 'Daarna zei hij twee keer "ik" en "cheque" ...'

'Cheque zijn bewijs van Arendsoogs onschuld,' veronderstelde de Indiaan.

'Het ontbréken van de cheque, die ik geïnd had, werd juist tégen mij gebruikt,' zei Arendsoog. 'Het was één van de bewijzen voor mijn schuld!'

Witte Veder was echter niet zo gauw uit het veld geslagen. 'Mij niet weten zeker hij praten over cheque van Arendsoog.'

Arendsoog sprong op alsof hij door een slang gebeten was. 'Allemachtig ...!' riep hij uit. 'Als dat eens waar was!' Heel even stond hij doodstil middenin het vertrek, alsof hij iets overwoog. Toen greep hij zijn hoed en de koppel van Sloan. 'Kom mee, boy. We gaan terug!'

Witte Veder zei niets, maar glimlachte vaag. Hij had tevoren al geweten, dat zijn vriend dit besluit zou nemen!

De terugreis duurde aanmerkelijk korter dan de heenreis en zes dagen later hielden zij hun paarden enkele mijlen buiten Dorwan in. Nu de stad, die hij twee weken geleden ontvlucht was, voor hem lag, werd Arendsoog weer onrustig. Veronderstel, dat zij het bewijs van zijn onschuld niet zouden vinden ...

'Mij zullen gaan eerst?' stelde Witte Veder voor.

'Als je dat wilt doen. Kijk de kat uit de boom. Ik wacht hier op je.'

Met kloppend hart keek Arendsoog zijn vriend na. In de komende uren zou de beslissing over zijn toekomst vallen ... Het was een kwestie van alles of niets ...

Drie uur later was Witte Veder terug. Terwijl Arendsoog gespannen toeluisterde, bracht de Indiaan verslag uit. Hij was in Dorwan onmiddellijk naar Harry Dewill gegaan. De hulpsheriff was eerst woedend geworden toen hij Witte Veder zag en beschuldigde hem ervan dat hij Arendsoog had helpen ontsnappen. Het had Witte Veder niet veel moeite gekost de deputy van het tegendeel te overtuigen. Hij, Witte Veder, was immers in het gezelschap van de hulpsheriff geweest toen Arendsoog ervandoor ging! Gelukkig voor de Indiaan wist Harry niets af van de sleutel, die Witte Veder stiekem aan Arendsoog had gegeven. De vraag of hij wist waar Arendsoog zich ophield, beantwoordde hij erg vaag. Zó vaag, dat Harry Dewill niet wist of het antwoord nu ja of nee was! Het volgende punt dat ter sprake was gekomen, was de rechtszaak geweest.

'Heeft rechter Cleveland uitspraak gedaan?' vroeg Arendsoog gejaagd.

'Hij jou veroordelen bij verstek,' antwoordde de Indiaan. 'Mij niet begrijpen ...'

'Bij verstek is "bij afwezigheid",' viel zijn vriend hem in de rede. 'Hoe luidde de uitspraak?'

Witte Veder gaf niet onmiddellijk antwoord. Het kostte hem moeite de woorden over zijn lippen te krijgen. 'Hij jou geven gevangenisstraf voor levenslang ...'

'Levenslang ...' mompelde Arendsoog. Er liep een koude rilling van afgrijzen over zijn rug. Hij probeerde te beseffen wat het woord betekende. Levenslang ... Jaar in jaar uit, tien, twintig, dertig, veertig jaar of misschien nog langer in een gevangenis leven ... Voor de rest van je leven begraven worden. Levend begraven tussen vier muren ...

'Maar mij horen rechter misschien openen proces weer,' ging Witte Veder verder.

'Wat?! Wordt het proces heropend? Maar dat kan toch niet! Niet nu de uitspraak is gevallen. Er kan wel een nieuw proces komen, maar alléén als er nieuw bewijsmateriaal gevonden is!'

'Harry Dewill zeggen zo!'

'Nieuw bewijsmateriaal ...? Maar hoe ... wie ...'

'Mrs. Stanhope zoeken.'

'Mijn móéder!?' riep Arendsoog verbijsterd uit.

Het bleek inderdaad het geval te zijn. Mrs. Stanhope, die geen seconde aan de onschuld van haar zoon getwijfeld had,

had zich niet neergelegd bij de uitspraak. Onmiddellijk na de verdwijning van Arendsoog had zij een particuliere detective in de arm genomen. MacGlan was zijn naam. Hij woonde in Phoenix en had de opdracht van mrs. Stanhope graag aanvaard. Arendsoog kende hem goed en wist, dat hij betrouwbaar was.

'Moeder had een slechtere keus kunnen maken,' mompelde hij goedkeurend. 'MacGlan staat erom bekend, dat hij zich vastbijt in een zaak. Wat hij eenmaal te pakken heeft, laat hij niet meer los ...'

'Hij zeggen hij vinden nieuw bewijs,' herhaalde Witte Veder ten overvloede.

Arendsoogs gezicht klaarde helemaal op. Het zou hem niets verwonderen als MacGlan inderdaad iets ontdekt had. 'En hoe is het met Grisley?' wilde hij nog weten.

'Hij zijn zeer erg veel beter. Mij hem bezoeken en hij zeggen veel groeten voor Arendsoog.'

'Dank je, boy. Het is een pak van mijn hart. Die oude Grisley heeft in zijn leven al heel wat klappen gehad ...' Hij liep naar Lightfeet toe en haalde zijn kijker uit de zadeltassen. Minutenlang zocht hij de prairie af. 'Weet je zeker, dat niemand je gevolgd is?' vroeg hij toen.

Witte Veder grinnikte. 'Mij zorgen daarvoor,' antwoordde hij nuchter.

'Prima! Ik geloof, dat we nu maar eerst contact moeten opnemen met MacGlan,' zei Arendsoog. 'Dat kunnen we het beste via moeder. Zij zal wel weten waar ze hem bereiken kan ... Zodra het donker is gaan we naar de ranch!'

Toen Arendsoog een paar uur later in de verte zijn ranch zag liggen, moest hij een paar maal slikken om de brok uit zijn keel te halen. Hij had niet durven hopen, dat hij dit alles, alles waar hij voor gewerkt, geploeterd had nog ooit zou terugzien ...

Enkele honderden meters van het ranchgebouw verwijderd, hield hij Lightfeet in en steeg af. Hij moest voorzichtig blijven! Er mochten geen risico's genomen worden. Misschien had Harry Dewill na Witte Veders bezoek wel argwaan gekregen en was hij nu op de S-ranch om een onderzoek in te stellen!

En al was Harry Dewill er niet, op het ogenblik was het beter als zo weinig mogelijk mensen wisten, dat hij terug was in de vallei.

'We wachten hier, boy,' besloot hij dan. 'Lightfeet gaat wel poolshoogte nemen.' Hij klopte het trouwe dier op de hals en stuurde het de duisternis in.

Lightfeet scheen onmiddellijk te begrijpen wat er van hem werd verwacht en liep in een snelle galop naar de ranch. Lenig wipte hij over het hek, dat het erf omgaf. Hinnikend kwam hij vlak voor het hoofdgebouw tot stilstand.

In de woonkamer vloog Ann overeind. Haar moeder keek haar geschrokken aan. 'Wat is er ...?'

Maar Ann was de kamer al uit. Als een wervelwind stoof ze door de hal en rukte de buitendeur open. 'Bob ...!' schreeuwde ze hees van emotie. Halverwege de deur en het wachtende paard bleef zij stokstijf staan. Haar broer was er niet ... Lightfeet was alleen ...! Ze hoorde de voetstappen van haar moeder achter zich.

'Wat is er toch, Ann?'

'Lightfeet is hier, moeder. Alleen ...' antwoordde Ann zacht. Ze staarde peinzend in de duistere verte. Wat betekende de komst van Lightfeet ...!? Plotseling kreeg ze een ingeving. Ze liep langs Lightfeet, die haar speels probeerde te bijten, en legde een hand op het zadel. Het leer was nog warm ... Ze wist wat dit betekende. Lightfeet zou niemand anders op zijn rug dulden dan haar broer Bob, Witte Veder en haar ... Ze zette een voet in de stijgbeugel en stapte lenig in het zadel.

'Wat ga je doen?' riep mrs. Stanhope angstig uit.

'Ik ben zo terug, moeder ... Maak u geen zorgen ...'

Lightfeet had geen leidsels nodig. Toen hij de zus van zijn baas in het zadel voelde, keerde hij zich om en schoot de duisternis weer in. Mrs. Stanhope bleef handenwringend op het erf staan. Uit een van de bijgebouwen kwam Jim, de oude voorman, naar buiten en voegde zich bij haar. 'Wat is er aan de hand?'

'Lightfeet was hier net. Hij is weggelopen met Ann ...'

'Lightfeet in de buurt ...!? Dan is Bob er ook!' zei Jim op een toon waaruit duidelijk bleek dat hij zeker was van zijn zaak. 'Bob heeft Lightfeet natuurlijk vooruit gestuurd om te kijken of de kust veilig was.'

Heel langzaam drong de waarheid tot mrs. Stanhope door. Bob was terug ... Bob ... Ze probeerde zich te vermannen, maar kon haar tranen niet tegenhouden. Jim sloeg een arm om haar schouders en bracht haar naar binnen. 'Nog even geduld dan ...' Hij zweeg. Verdraaid, als hij niet oppaste stond hij hier zo meteen ook te grienen! 'Dat zal je niet gebeuren, vader,' gromde hij tegen zichzelf en hij begon druk door de kamer heen en weer te lopen, stoelen verschuivend en weer terug schuivend ...

'Bob ...!' Snikkend stortte Ann zich van Lightfeets rug in de sterke armen van haar enige broer. 'Oh Bob ...' verder kwam ze niet.

Arendsoog hield haar stevig vast. 'Kom nou, grote zus van me! Sta je daar nou te huilen ... In plaats dat je nu blij bent ...' zei hij zacht.

'Maar ik ben toch blij ...' snikte Ann. 'Oh Bob, ik ben zo blij.' Ze had haar tong weer gevonden! 'Ik ben zo bang geweest dat je ... Heus Bob, ik zal nooit meer vervelend tegen je doen ... Ik zal nooit meer ...'

'Nou kom, gekke meid ... Dat mag je niet zeggen. Je zou maar een saaie zus worden, hoor!' Hij tilde haar hoog op en zette haar weer in het zadel. Maar Ann wipte er even snel weer af. Ze was nog niet klaar en Witte Veder kreeg een beurt. Pas toen de Indiaan bloosde onder zijn bruine huid steeg ze met een zucht van geluk op! Arendsoog ging achter haar zitten. 'Is het veilig op de ranch, Ann?'

'Er is niemand, die je aanwezigheid kan verraden,' stelde Ann hem gerust.

'Daar gaan we dan,' grinnikte Arendsoog, terwijl hij Lightfeet op de hals klopte. 'In de aanval!'

Het was héél laat, toen Arendsoog en Witte Veder die nacht eindelijk onder de dekens kropen. Er was ook zo veel te vertellen geweest! Jim, die gezien had hoe moe de twee vrienden

waren, had erop gestaan deze nacht de 'wacht te houden'. Nu hoefde Arendsoog niet bang te zijn dat hij in het holst van de nacht door bijvoorbeeld een nieuwsgierige Harry Dewill verrast zou worden!

Maar hoe moe Arendsoog ook was, het kostte hem moeite om in slaap te komen. Zijn moeder had hem verteld, dat MacGlan de volgende morgen naar de ranch zou komen ... Hij brandde van nieuwsgierigheid. Wat had MacGlan ontdekt ...? Had de detective gebluft of waren er werkelijk nieuwe feiten aan het licht gekomen? Nieuwe feiten, die het bewijs moesten leveren voor zijn onschuld ...

Hoofdstuk 7

Een bewijs?

In een hotelkamer in Santa Fé zaten Roowey en de boss tegenover elkaar. De laatste tikte in gedachten met zijn nagels op het houten tafelblad.

Het geluid maakte Roowey kennelijk nerveus, want hij trok steeds sneller aan zijn sigaret. 'Wat wou je eigenlijk doen, nu je die Stanhope hebt uitgeschakeld, boss?' verbrak hij eindelijk de stilte.

De boss schudde het hoofd, alsof hij in het diepst van zijn slaap wakker gemaakt was. 'Wat ...? Oh ... Wat we nu doen ...?' Hij schoof zijn stoel achteruit en keek Roowey strak aan. 'We gaan naar Arizona ...!'

Roowey vloog overeind. Alle kleur trok weg uit zijn gezicht. 'Naar Arizona ...?' vroeg hij hees. 'Maar dat kost me mijn kop, boss ...'

De ander grinnikte gemeen. 'Als dat je kop kost is het je eigen schuld, Roowey.'

'Maar ... maar ... Als iemand erachter gekomen is, dat ik de sheriff van Dorwan neergeschoten heb ... De deputy daar weet precies hoe ik eruit zie ... Als ze een opsporingsbevel hebben uitgevaardigd ...'

'Dan kijkt iedere sheriff uit naar een lange vreemdeling, een zakenman met rood haar en een klein snorretje, die luistert naar de naam Roowey ...'

'Kan het opvallender?' zei Roowey verongelijkt, alsof de boss verantwoordelijk was voor zijn uiterlijk. 'Ik denk dat ik tien mijl de grens over kom!'

De boss ging weer zitten. 'Als je zó de grens over gaat ... Ja, dan geef ik je niet veel kans ...'

Roowey keek hem niet-begrijpend aan. 'Zó ... Moet ik soms een stuk van mijn benen af laten halen?'

De boss zuchtte diep, alsof zoveel onbegrip hem irriteerde. 'Luister,' zei hij dan. 'Je weet, dat ik mij met goed fatsoen ook niet in Arizona kan laten zien. Jíj bent niet de enige naar wie gezocht wordt! Van mij is ook een heel duidelijk signalement op het kantoor van iedere sheriff gedeponeerd! Toch moeten wij als ik mijn plan helemaal wil uitvoeren naar Arizona en dus ... zullen we iets aan dat uiterlijk van ons moeten doen ...!'

Het werd Roowey een beetje teveel. 'Ik kan mijn uiterlijk toch niet veranderen! Ik ben wie ik ben ... En dan dat plan. Ik weet nog steeds niet waarom het gaat. Ik zou toch wel graag willen weten waarvoor ik mijn kop waag!'

De boss dacht even na. 'O.K.,' mompelde hij toen. 'Ik zal je vertellen waarom we terug móéten.' Het was vreemd, maar terwijl hij de laatste woorden sprak, kreeg zijn gezicht een heel andere uitdrukking. Zijn mond trok samen tot een harde, dunne streep en zijn ogen werden glinsterende brokjes vuur. Er lag haat en woede, wreedheid en onverzettelijkheid in zijn blik. Hij pakte een sigaar en beet er wild de punt af. Pas nadat hij hem aangestoken had, sprak hij weer. 'Jaren geleden, Roowey, was ik bezig met een zaak ... Al zeg ik het zelf, het plan was geniaal. Ik offerde een klein bedrag op om in één klap duizenden dollars te verdienen. Alles klopte; alle voorbereidingen waren getroffen ... Het kòn niet fout gaan. Tot op de dag van vandaag zou men in Arizona over dit zaakje gesproken hebben ...' Hij zweeg even.

'Heeft die Stanhope ...?'

Weer die blik vol haat in de ogen van de boss! 'Ja ... Alles zou goed gegaan zijn als Stanhope zich er niet mee bemoeid had ...'

Er ging Roowey een lichtje op. 'Was het zijn schuld, dat je de gevangenis in draaide?'

De boss gromde iets onverstaanbaars. 'De bemoeizucht van die cowboy heeft mij jaren van mijn leven gekost,' zei hij op een toon waarin de haat doorklonk. 'Sinds mijn veroordeling is er geen dag voorbij gegaan waarop ik mijzelf niet zwoer het Stanhope betaald te zullen zetten ... Ik beloofde mezelf, dat hij eens zou voelen wat hij mij heeft aangedaan ... Nu is het zover ...'

'Ik zie het allemaal nog niet, hoor,' bromde Roowey, toen de boss even zweeg. 'Waarom moeten we dan weer terug naar Arizona. Je hebt je zin, toch! Stanhope bengelde meer dan een week geleden aan de een of andere boom ...'

'Wat bedoel je?'

'Nou, nogal eenvoudig ... Op moord staat de doodstraf! Dus ...'

Er gleed een spoor van twijfel over het gezicht van de boss, dat echter onmiddellijk weer verdween. 'Dacht je dat werkelijk ...!? Nee, ik heb hier heel lang over nagedacht. Ik weet zeker dat er niet één rechter in Arizona is, die Arendsoog ter dood zou durven veroordelen! Ik durf er iets onder te verwedden, dat die knaap overal zijn vriendjes heeft zitten ...'

'Denk je dan dat hij toch vrijgesproken wordt!?'

'Natuurlijk niet! Maar evenmin krijgt hij de doodstraf. Ik zou me echt zwaar vergissen als dat wel het geval was. Nee, mister Stanhope zit op dit moment ergens achter de tralies van een gevangenis ...' Hij lachte gemeen. 'Het zou helemaal mooi zijn als hij mijn plaats heeft ingenomen ... Ze hebben daar immers een kamertje vrij sinds ik geen prijs meer stelde op de gastvrijheid van de staat!'

'Het spijt me, boss, maar alles wat je zegt maakt me nog steeds niet duidelijk waarom we terug moeten naar Arizona.'

De boss maakte zijn sigaar uit, een karweitje waar hij lang over deed. 'Luister Roowey,' zei hij toen. 'Ik vertelde je, dat ik mezelf beloofd had Stanhope zijn bemoeizucht betaald te zullen zetten. Jij hebt me daar prima bij geholpen, alhoewel ... door die Sloan erin te betrekken had het ook allemaal fout kunnen gaan. Enfin, dat is verleden tijd ... Stanhope zit vast en dat is het voornaamste, maar niet àlles! Je bent met me eens, dat er maar drie mensen zijn, die absoluut zeker weten dat Stanhope onschuldig veroordeeld is: Stanhope zelf en wij ... Natuurlijk vraagt Stanhope zich af wíé hem deze loer gedraaid heeft ... Ik zal pas tevreden zijn als hij dat weet ...'

Weer schrok Roowey zich dood. 'Wil je hem vertellen, dat wíj ...'

De boss stak een hand op. Roowey zweeg onmiddellijk. 'Natuurlijk ga ik hem dat niet vertellen en evenmin zal ik het hem schrijven. Dat zou gelijk staan met een bekentenis en komt Stanhope dezelfde dag nog vrij. Nee, ik heb een veel beter plan ... We gaan in Arizona een zaakje opknappen ... Net als de eerste keer ... Een kleine verandering misschien, maar niet te veel ...' De ogen van de boss gingen weer glimmen, terwijl hij sprak. 'En deze keer zal er geen Stanhope zijn, die alles in het honderd kan laten lopen. Deze keer zal alles goed gaan. Héél Arizona zal erover praten ... En als de verhalen doorgedrongen zijn tot de andere kant van de gevangenismuur, zal Stanhope onmiddellijk begrijpen wíé het "brein" achter de zaak is ... Hij zal de enige zijn, omdat hij mij kent en omdat hij in het verleden al eens met een soortgelijke zaak te maken heeft gehad ... En dan zal hij óók begrijpen wie er verantwoordelijk voor is, dat hij achter slot en grendel zit ...' Hij kwam overeind en stak de armen in de lucht, als een gladiator die zijn tegenstander overwonnen heeft.

Roowey keek hem onderzoekend aan. Hij vroeg zich af of de boss werkelijk geniaal was of dat hij een tik had overgehouden aan de langdurige gevangenisstraf ...

De boss had plotseling haast gekregen. Hij pakte zijn hoed en liep met grote passen naar de deur. 'Betaal jij de rekening, Roowey. Ik moet nog een paar dingen kopen. Over een uurtje vertrekken we.'

Inderdaad verlieten de twee mannen een uur later de stad. De boss sprak geen woord, maar om zijn lippen speelde een vage glimlach. Roowey vroeg zich af waarom zijn baas zo in zijn schik was.

Halverwege Santa Fé en Albuqerque, aan de oever van de Rio Grande die hier pal zuidwaarts stroomt, hield de boss zijn paard in en steeg af. Uit zijn zadeltassen haalde hij een paar pakjes, die Roowey nieuwsgierig bekeek. 'Wat zit erin, boss?'

De ander gaf geen antwoord, maar maakte de pakjes open.

Voor Rooweys verbaasde ogen legde de boss en aantal voorwerpen op de grond, die eerder in een kapperswinkel of in de kleedkamers van een theater thuishoorden dan hier: een schaar, een spiegel, een kam, plukjes haar, drie potjes met een glibberige stof en nog meer van dergelijke vreemde zaken ...!

De boss trok zijn jasje uit. 'Ik zal je laten zien wat ik bedoelde toen ik zei dat we iets aan ons uiterlijk moesten doen,' zei hij zelfvoldaan. 'Laat mij maar begaan ... Ik heb dit werk meer gedaan.'

Een dik uur later keek een verbijsterde Roowey in de spiegel. 'Ben ik dat,' mompelde hij. Met het gitzwarte haar en het kleine aangeplakte snorretje herkende hij zichzelf niet meer! De boss grinnikte en pakte de spiegel uit Rooweys handen. Nu was hij zelf aan de beurt. Zelfs een buitenstaander als Roowey kon zien, dat hier de hand van de meester aan het werk was!

'En dat is dat,' zei de boss tevreden, terwijl hij zichzelf kritisch in de spiegel bekeek. 'Ik ben het nog niet verleerd!' Hij begon de spullen bij elkaar te zoeken en borg ze in de zadeltassen. 'We gaan verder Roowey. In Albuqerque nemen we de trein. Dat scheelt ons een paar dagen rijden. Maar eerst moeten we nog wat andere kleren kopen.'

Roowey werd bij het horen van de naam Albuqerque al zenuwachtig. 'Als iemand het lichaam van Sloan gevonden heeft, zoeken ze misschien naar mij ...' zei hij. 'Verschillende mensen hebben ons samen gezien in een saloon in de hoofdstraat.'

'Ik durf te wedden, dat niemand je herkent,' antwoordde de boss, die zeker was van zijn meesterschap. 'Let op mijn woorden: vanmiddag nog krijg je het bewijs, dat je een "ander mens" geworden bent!'

Roowey was bereid om de boss te geloven, maar toch voelde hij zich nerveuzer worden naarmate zij Albuqerque naderden ...

Arendsoog voelde zich een herboren mens toen hij de volgende morgen beneden kwam. Voor het eerst in weken had hij weer in een gewoon bed geslapen!

MacGlan, de detective die zijn moeder in de arm genomen had, bleek een matineus man te zijn, want Arendsoog trof hem achter een dampende kop koffie in de woonkamer.

'Wat ben ik blij u te zien, mister MacGlan,' begroette de cowboy de oudere man. 'Ik kon vannacht bijna niet in slaap komen, zó verlangde ik naar dit moment.'

MacGlan schudde zijn hand. 'Ik ben ook blij om je te zien, Bob! Vier dagen geleden ontdekte ik iets, dat je heel erg zal interesseren ...'

Arendsoog schoof een stoel bij en dronk gretig van de koffie, die zijn moeder voor hem neerzette. 'Mag ik eens raden, mister MacGlan? Heeft uw ontdekking iets te maken met een zekere Sloan?'

MacGlan liet zijn kopje bijna uit de handen vallen. 'Hoe weet jij dat in 's hemelsnaam ...!?'

Arendsoog lachte en keek naar Witte Veder, die zich intussen bij het gezelschap had gevoegd. 'U denkt toch niet, dat wij stil gezeten hebben! Maar vertelt u eerst eens, dan zullen we later zien of uw bevindingen kloppen met die van ons.'

'Goed, Bob,' knikte MacGlan. 'Wel, toen rechter Cleveland uitspraak had gedaan in jouw zaak, kwam je moeder naar me toe en vroeg me een nieuw onderzoek in te stellen. Ze had echt wel vertrouwen gehad in de oude Grisley, maar als je bij een onderzoek de eerste keer iets over het hoofd ziet, ontdek je dat bij een tweede of een derde onderzoek meestal ook niet. Je wordt ... hoe zal ik het zeggen ... je wordt een beetje blind voor de feiten. Ik nam de opdracht graag aan. Ik was overtuigd van je onschuld, omdat ik me domweg niet kon indenken dat jíj een dergelijk misdrijf zou begaan.'

'Thank you,' mompelde Arendsoog.

'Het misdrijf was gepleegd in de Bank en het was dus logisch, dat ik mijn onderzoek daar begon,' ging MacGlan onverstoorbaar verder. 'Inderdaad bleek de cheque, die jij verzilverd had, nergens te vinden. Ik ontdekte echter wat anders ...'

Arendsoog hield de adem in.

'Handell hield er, zoals iedere bankier, boeken op na. Boeken waarin hij op de ene bladzijde de inkomsten en op de andere de betalingen boekte. Wel, onder de kop "betalingen" vond ik een boeking groot zevenenvijftigduizend driehonderd veertig dollar ...'

'Dat was het bedrag, dat ik geïnd heb,' zei Arendsoog gejaagd. 'Dus hoewel de cheque verdwenen was, bleek uit de boeken tòch dat Handell een uitbetaling aan mij gedaan had!'

'Juist! Het was ingeschreven met Handells handschrift en hij zou dat nooit gedaan hebben als je het geld gestolen had, zoals de verdwenen cheque deed vermoeden. Maar nu het voornaamste ...' MacGlan had een goed gevoel voor theater, want hij zweeg even om de spanning op te voeren. 'Totnutoe nam iedereen aan, dat jíj Handells laatste "klant" was geweest ... En dit nu bleek een grote vergissing te zijn, zoals uit hetzelfde boek bleek ... Nadat Handell jou dat geld had uitbetaald, heeft hij nòg een betaling gedaan ... Het betrof een bedrag van zeventien dollar en vierentachtig dollarcent ...'

'Uitbetaald aan Sloan,' zei Arendsoog zacht.

'Laat me even uitspreken. In dat bewuste boek stonden geen namen, maar alleen bedragen. En dus ging ik tussen de uitbetaalde cheques zoeken. Inderdaad zat jouw cheque er niet tussen, maar wel een die ondertekend was door een zekere Sloan. Het bedrag klopte precies ...'

Er viel een doodse stilte, toen hij uitgesproken was. Mrs. Stanhope had moeite haar emoties de baas te blijven. Het bewijs van de onschuld van haar zoon was geleverd! Na hem was er nog iemand in de Bank geweest aan wie Handell een uitbetaling had gedaan. En aangezien dode mensen niet kunnen schrijven ... leefde Handell nog toen deze Sloan binnenkwam. Binnenkwam? Dat klopte niet, want volgens de getuigen was er na Arendsoog níémand het Bankgebouw binnengegaan! Ze werd uit haar gedachten wakker geschud door Arendsoog die in het kort vertelde wat zij in Nieuw-Mexico hadden ontdekt.

'Sloan is dus dood,' zei MacGlan meer tegen zichzelf dan tegen de anderen. 'Enfin, we hebben het bewijs in handen. Ik vraag me alleen af hoe een en ander in zijn werk is gegaan.'

'Ik heb zo'n vaag vermoeden dat ik dat weet,' antwoordde Arendsoog. 'Als je het Bankgebouw binnengaat, kom je eerst in een hal. Een deur met een ruit, waarvan de onderste helft ondoorzichtig is, geeft vanuit die hal toegang tot de eigenlijke Bank. In de hal staat rechts een grote kast. Toen ik binnenkwam, moet Sloan zich reeds daarin of daarachter verborgen hebben.'

MacGlan knikte goedkeurend. 'Dat zou verklaren hoe het kon, dat niemand Sloan na jou naar binnen zag gaan.'

'En Handell kon hem ook niet zien!' vulde Arendsoog aan. 'Maar om kort te gaan ... Ik ging naar binnen, zette mijn handtekening op de cheque, terwijl Handell het bedrag inboekte en kreeg mijn geld. Daarna verliet ik de Bank. Op dat moment kwam Sloan te voorschijn. Handell, die door de ondoorzichtige ruiten geen vrij uitzicht had, moet gedacht hebben, dat zijn moordenaar net binnenkwam. Sloan tekende zijn cheque, die ook door Handell ingeschreven werd, maar voor de bankier hem het geld kon uitbetalen, stak Sloan hem neer. De schurk moet daarna de rest van het kasgeld èn mijn getekende cheque bij elkaar gegrist hebben en verdwenen zijn. Nu Handell er niet meer was om hem tegen te houden, moet het voor hem een kleine moeite zijn geweest de Bank aan de achterkant te verlaten. Hij maakte echter één fout ... In zijn haast vergat hij zijn eigen cheque mee te nemen ...! Dit bedoelde Sloan waarschijnlijk, toen hij vlak voor hij stierf mompelde dat hij een fout had gemaakt.' Hij zweeg en keek de anderen aan.

'Prima!' riep MacGlan enthousiast uit. 'Zó en niet anders moet het gegaan zijn. Die Roowey hield jou intussen op en wandelde daarna op zijn gemak naar de Bank waar hij zijn "ontdekking" deed. Hij waarschuwde de sheriff, die hij beloofde de stad niet te zullen verlaten. Ik veronderstel, dat hij daarna zijn vriend Sloan op een afgesproken plaats heeft opgezocht en het geld in ontvangst heeft genomen.'

'Waarna hij rustig naar het hotel ging en het geld in mijn zadeltassen stopte,' vulde Arendsoog aan. 'Een kind weet, dat je in het Dorwan Hotel heel gemakkelijk een sleutel kunt meenemen zonder dat de eigenaar het merkt. Op dezelfde manier zal Roowey ook de dolk wel uit mijn tassen gehaald hebben ... Sloan had intussen Dorwan al verlaten en wachtte in de ranch van Klinkshaw op zijn maat, die in de stad moest blijven om tegen mij te getuigen.'

MacGlan stond op. 'Ik ga nú naar rechter Cleveland, Bob.' Hij haalde een stuk papier uit zijn binnenzak. 'Dit is de cheque van Sloan,' zei hij, terwijl hij het papier openvouwde. 'Dit vodje zal in het nieuwe proces het belangrijkste bewijs vormen ... De uitspraak in dat proces kan niet anders dan vrijspraak zijn ...'

'Wees maar zuinig op dat papiertje,' zei Arendsoog. 'Uit alles blijkt dat Roowey en zijn vriend precies op de hoogte waren van mijn doen en laten. Ze moeten me lange tijd in de gaten gehouden hebben voor ze deze misdaad konden uitvoeren. Je zou je bijna gaan afvragen of iemand uit mijn naaste omgeving hun geholpen heeft ...'

'Ik zal haast achter de zaak zetten, Bob,' antwoordde MacGlan. 'Maar intussen kun jij misschien beter een andere schuilplaats zoeken. Weet je iets?'

Arendsoog knikte in gedachten. 'Het Arendsnest,' zei hij. 'De blokhut in de bergen heeft bewezen een veilige schuilplaats te zijn.* Als u mij moet hebben, zal Jim u er wel naartoe brengen.'

'Dat is dan afgesproken!' MacGlan borg de cheque zorgvuldig weg. 'Ik hoop gauw met goed nieuws te kunnen komen, Bob!'

Toen de particuliere detective in zijn hobbelende koetsje vertrokken was, sloeg Arendsoog een arm om zijn moeders schouder. 'Als ik u niet had gehad ...'

'Ik wìst toch dat jij het niet gedaan had!' antwoordde zij nuchter.

Arendsoog zuchtte. 'Had iedereen maar zoveel vertrouwen in me gehad ... Enfin, gedane zaken nemen geen keer. Kom, we zullen ons maar reisvaardig gaan maken. Wilt u wat proviand voor me klaarmaken, moeder?'

* Zie: Arendsoog

Hoofdstuk 8

De overval

Diezelfde middag had MacGlan een lang gesprek met rechter Cleveland en de openbare aanklager, Bunder.

'Ik heb nog nooit met zoveel genoegen bevel gegeven om een nieuw proces te voeren als in dit geval, mister MacGlan,' zei de oude rechter, toen de detective zijn argumenten uiteen had gezet. 'U hebt een prachtig stukje werk geleverd!'

Bunder, die nog niet verkroppen kon dat hij voor de zoveelste maal een zaak dreigde te gaan verliezen, was minder verheugd. 'U schijnt te vergeten, judge, dat we het hebben over een veróórdeelde misdadiger ... Stanhope is door u veroordeeld, maar heeft zich aan de arm der wet onttrokken ...'

Cleveland werd boos. 'Wees toch niet zo zwaar op de hand, Bunder. Je vergeet kennelijk, dat de fout in dit geval niet bij de beklaagde, maar bij het gerecht lag! Achteraf blijkt nu, dat we ons vergist hebben en dat Arendsoog onschuldig is. Vind je het niet erg begrijpelijk, dat hij er de voorkeur aan geeft te verdwijnen boven onschuldig de gevangenis in te draaien?'

'Het zou me niets verwonderen als Grisley hier meer van wist,' bromde Bunder.

Cleveland haalde de schouders op. 'Nu laat je je toch echt van je slechtste kant zien, Bunder. Je weet net zo goed als ik, dat Grisley zwaar gewond in Klinkshaws ranch lag op het moment, dat de beklaagde ontsnapte ...' Hij verlegde een paar dikke boeken. 'En nu wil ik er niet meer over praten. Over drie dagen, dus aanstaande vrijdag, zal het nieuwe proces plaatshebben!'

MacGlan, die zwijgend geluisterd had, schudde Cleveland

enthousiast de hand. 'Ik zal mijn uiterste best doen om ervoor te zorgen, dat mijn cliënt vrijdag in Dorwan is.'

'Wat gebeurt er met die cheque van Sloan?' snauwde Bunder. 'Moet de sheriff of zijn plaatsvervanger die in beslag nemen?'

'Hoho!' stoof MacGlan op. 'U schijnt te vergeten, dat deze cheque het belangrijkste bewijsstuk van de verdédiging is!'

Bunder mompelde iets onverstaanbaars en verliet zonder te groeten het vertrek.

MacGlan maakte ook aanstalten om te gaan. 'Let maar niet op Bunder,' zei Cleveland, terwijl hij meeliep naar de deur. 'Hij is echt niet zo kwaad als hij eruit ziet. Over een week is hij alles weer vergeten en drinkt hij rustig een borrel met je.'

MacGlan bedankte de rechter nogmaals en vertrok. Toen hij weer in de hoofdstraat stond, had hij zin om te zingen of hard te gaan lachen. Hij stak zijn duimen achter de rand van zijn vest en keek naar de zon, die al begon te zakken. Het leven was mooi, vond hij!

Hij ging naar zijn hotel en krabbelde haastig een briefje. De eigenaar van het hotel, die iedereen in Dorwan kende, had al gauw een jongeman gevonden die voor een flinke tip de brief naar de S-ranch wilde brengen. 'Dat is dat,' mompelde MacGlan. 'En nu hebben we wel een biertje verdiend!'

De volgende morgen stapten twee vreemdelingen in Dorwan uit de trein. Het mag een compliment voor de boss genoemd worden, dat niemand in het stadje Roowey herkende.

'Waar is dat hotel?' vroeg de boss.

'Welk? Het Dorwan Hotel?' vroeg Roowey geschrokken. 'Oh nee, boss, daar krijg je me voor geen geld naar toe.'

De boss zuchtte diep. 'Ik vraag me af of jij er ooit van overtuigd zult raken, dat niemand je kàn herkennen.' Hij had gelijk. Het zwarte haar, het snorretje en de nieuwe kleren hadden van Roowey een heel ander mens gemaakt. Hij had alleen nog de lengte gemeen met de man, die een paar weken geleden in ditzelfde stadje in het proces tegen Arendsoog getuigd had. Toch wilde de boss niet te ver gaan. Roowey was nu eenmaal erg zenuwachtig en het had geen enkele zin om dat nog erger te maken. En dus namen ze hun intrek in het kleine, maar erg dure logement van de weduwe Stands.

Het nieuws, dat Arendsoog een nieuw proces zou krijgen, had zich de vorige avond al verspreid als een lopend vuurtje en het duurde dan ook niet lang voor het de boss en Roowey ter ore kwam.

Het gebeurde in de stalhouderij, waar de twee mannen paarden wilden kopen. De stalhouder was zo vol van het grote nieuws, dat hij het zelfs aan de vreemdelingen vertelde. Met de grootste moeite kon de boss een paar zware vloeken inslikken. Hij wist echter zijn zelfbeheersing te bewaren en stelde een paar vragen.

'Bent u misschien van een krant?' beantwoordde de stalhouder de vragen met een wedervraag.

Daar bracht de man hun op een idee! De boss knikte heftig en gaf Roowey een seintje. 'Inderdaad ... We vallen wel met onze neus in de boter. Wanneer wordt dat nieuwe proces gehouden?'

'Vrijdag ... Tenminste ... men zegt, dat het alleen doorgaat als Stanhope zich meldt bij de sheriff ...'

'Zich meldt ...!?'

'Ja, wist u dat niet? Het heeft toch in alle kranten gestaan dat hij de dag voor de uitspraak ontsnapte uit de gevangenis hier.' Er klonk achterdocht door in de stem van de stalhouder.

De boss begreep onmiddellijk, dat de man er aan begon te twijfelen of zij wel krantenmensen waren. 'Natuurlijk wist ik dat,' haastte hij zich. 'Maar er zat me iets in mijn hoofd, dat ze hem alweer te pakken hadden ...' Hij maakte een nonchalant gebaar. 'Ik denk dat ik twee zaken door elkaar haalde ...'

Een kwartiertje later, nadat de koop gesloten was en de boss nog vele inlichtingen had gekregen, liepen zij terug naar het logement. De boss beheerste zich tot het moment, dat de deur van hun kamer achter hen dichtgevallen was. Toen luchtte hij zijn gemoed. Het spreekt vanzelf, dat Roowey ook een paar vegen uit de pan kreeg. Hij had immers Sloan in de arm genomen omdat hij het 'karwei' alleen niet aankon, en het was Sloans stommiteit geweest die Arendsoogs onschuld aantoonde.

Toen de boss uitgeraasd was, bleef het lange tijd stil in de kamer. 'En toch is mister Stanhope nog niet van me af,' siste de boss toen tussen zijn tanden.

Ann had de brief van MacGlan naar de blokhut gebracht, waar Arendsoog en Witte Veder de tijd doodden met het uitvoeren van een paar noodzakelijke reparaties aan het Arendsnest. 'O.K., zusje,' zei Arendsoog, toen hij de brief gelezen had. 'Morgenavond om tien uur komt MacGlan naar de ranch. Wij zullen er ook zijn! En ga nu maar gauw terug, dan kun je voor het donker thuis zijn.'

Het hielp niet of Ann protesteerde. Hoewel Arendsoog drommels goed begreep, dat zij liever nog een tijdje bij hen in het Arendsnest bleef, vond hij het niet verstandig haar in het donker te laten rijden. En dus ... vertrok Ann met een boos gezicht!

Het was woensdagavond. Arendsoog en Witte Veder waren al om negen uur op de S-ranch. Het wachten was op MacGlan.

De tijd verstreek. Het werd half tien, tien uur, half elf ...

Arendsoog ijsbeerde onrustig door de woonkamer. Waarom was MacGlan er nog niet? Kwart voor elf ... Voor de honderdste keer keek de cowboy naar de grote staande klok. Er moest iets gebeurd zijn. MacGlan stond bekend als een man van de klok. Hij kwam altijd op tijd! Het liefst zou onze vriend op zijn paard gestegen en naar Dorwan gereden zijn. Hij besefte echter drommels goed, dat dit te riskant was. Tot het tweede proces achter de rug was, was hij nog steeds een ontsnapte gevangene!

En toen, eindelijk, om tien minuten voor half twaalf klonk de trage hoefslag van een paard. Arendsoog wilde naar buiten hollen, maar Witte Veder hield hem tegen. 'Mij kijken gaan,' zei de Indiaan. Hij verliet de woonkamer.

Het paard kwam nu het erf op. Arendsoog, mrs. Stanhope en Ann hielden hun adem in. In werkelijkheid bleef Witte Veder nauwelijks een minuut weg, maar in Arendsoogs verbeelding duurde het een eeuwigheid.

Toen de Indiaan terugkwam, was hij in gezelschap van een oudere man. Hij zag er vreselijk verfomfaaid uit. Boven zijn rechteroog had hij een diepe snee, waaruit hij hevig gebloed had. Mrs. Stanhope schoot toe en bracht de oude baas naar een stoel. 'Ann, haal eens gauw wat heet water. Er staat nog een ketel op het vuur.'

Terwijl zijn moeder de wond verzorgde, nam Arendsoog de oude baas eens op. Hij kende dat gezicht en zocht zijn geheugen af. Ineens had hij het ... De man was MacGlans koetsier!

'Wat is er gebeurd?' vroeg hij gejaagd, terwijl hij zijn zuster ruwer opzij duwde dan de bedoeling was. Zijn moeder was echter niet te vermurwen. 'Dat kan wachten, Bob! Zie je niet dat de arme man op is van de zenuwen. Haal eerst maar eens een glas water.'

Tien minuutjes later was de man zover opgeknapt, dat hij, zij het met horten en stoten, zijn verhaal kon doen.

'We waren op weg naar u toe. Ik bedoel mister MacGlan en ik. Ik ben al meer dan vijftien jaar zijn koetsier en ...'

Arendsoog had moeite om zich te beheersen en de man niet in de rede te vallen. Hij liet een stroom van nutteloze mededelingen over zich heen gaan.

'... We hadden Mining-Valley net achter ons gelaten,' kwam de man nu meer ter zake. 'Er kwamen ons twee ruiters achterop. Ik schonk geen aandacht aan de kerels, want je komt zo vaak iemand tegen als je veel onderweg bent zoals ik ... Ze haalden ons snel in. Toen ze naast het rijtuig waren, schrok ik me dood. Ze hadden hun wapens getrokken en dwongen me te stoppen ...' De oude man zweeg even en sloot de ogen, alsof het hem moeite kostte om verder te gaan. 'Ik stak mijn handen in de hoogte en zei dat ze zich vergisten. Dit is de postkoets niet, zei ik. Als jullie geld willen hebben, moet je aan een ander adres zijn. Houd je kop, snauwde een van de twee, en hij haalde uit met de kolf van zijn geweer ... Hij raakte me precies boven mijn oog. Ik moet onmiddellijk buiten westen zijn geweest, want ik kan me niet meer herinneren wat er daarna gebeurde. Toen ik bijkwam was het volkomen donker. Ik lag op de bok van de koets, die helemaal scheef hing. Het kostte me nogal wat moeite om eraf te klimmen. Toen zag ik waarom het rijtuig scheef hing. Om te voorkomen, dat het koetsje nog zou kunnen rijden hadden zij het rechterachterwiel in elkaar gehakt. Op hetzelfde moment hoorde ik kreunen in het rijtuig. Ik stak een lucifer aan en keek naar binnen.' Weer pauzeerde hij even. 'Nog nooit van mijn leven ben ik zo geschrokken,' vervolgde hij dan. 'Ze hadden MacGlan lelijk te pakken genomen. De arme kerel zag bont en blauw en had het bewustzijn verloren. Ik wist niet wat ik moest doen ... Ik begreep, dat er zo gauw mogelijk hulp moest komen. Kon ik MacGlan alleen laten? Er zat niets anders op. Ik spande het paard uit. Maar omdat ik geen zadel had en op mijn leeftijd niet meer gewend ben om te rijden, kwam ik maar langzaam vooruit ...'

Arendsoog was al overeind gesprongen. 'Ann, zeg jij tegen Jim dat hij iemand met een wagen in de richting van Mining-Valley stuurt. Witte Veder en ik gaan vast vooruit.' Hij wachtte geen antwoord af, maar greep zijn koppel en hoed en holde naar de deur. 'U zorgt wel voor onze vriend, hè moeder?' Op de voet gevolgd door Witte Veder rende hij het erf over naar de corral om de paarden op te halen. Uit voorzorg hadden zij de dieren niet laten ontzadelen en dertig seconden later waren zij dan ook al in de duisternis verdwenen ...

Toen zij de plaats van de overval bereikt hadden, werden zij opgewacht door een grijnzende MacGlan. Het was maar goed dat de man zelf niet kon zien hoe erg hij toegetakeld was! Arendsoog slingerde zich uit het zadel.

'Hoe is het MacGlan? Eerlijk gezegd hadden we verwacht u hier halfdood te zullen aantreffen!'

'Och, het valt wel mee,' antwoordde de detective luchtig, maar aan zijn gezicht was te zien, dat hij toch wel veel pijn had. Hij was echter niet kleinzerig en wilde het niet laten merken. 'Waarom hebben jullie geen spiegel meegebracht? Ik zou best willen weten hoe mooi ik nu wel ben ...'

Arendsoog schudde het hoofd. 'Het spreekwoord dat zegt dat onkruid niet vergaat, schijnt waar te zijn,' lachte hij. 'Maar laat me eens naar die wonden kijken.'

Witte Veder had snel wat sprokkelhout bij elkaar gezocht en een klein vuurtje gemaakt.

En terwijl Arendsoog zo goed en zo kwaad als het ging MacGlans toegetakelde gezicht fatsoeneerde, vertelde de detective wat er was gebeurd nadat de overvallers de koetsier bewusteloos hadden geslagen. 'Bijna tegelijk werden de twee deuren van het rijtuig opengerukt,' zei hij. 'Voor ik begreep wat er gebeurde had ik een paar stompen in mijn gezicht te pakken ... Een van de twee kerels greep me bij mijn kolbert. "Als je leven je lief is, geef dan als de duvel die papieren," beet hij me toe. "Welke papieren?" Ik deed verwonderd. Nu sloeg de ander toe. Hij moet iets hards in zijn handen gehad hebben, want ik voelde dat hij mijn gezicht openhaalde. Toen daarna ook de ander nog een paar klappen uitdeelde, legde ik het loodje ... De rest kunnen jullie wel raden. Toen ik bijkwam bemerkte ik, dat mijn koetsier weg was evenals het paard. Ik veronderstelde, dat hij hulp was gaan halen en besloot rustig te wachten ... Tussen haakjes, hoe is het met de oude Fortson?'

'Uw koetsier? Oh, hij heeft ook een paar klappen gehad, maar daar is hij al overheen,' antwoordde Arendsoog. 'Maar wat bedoelden die kerels eigenlijk met "de papieren"?'

'Het lijkt me niet zo moeilijk om dat te raden,' antwoordde MacGlan. 'De enige papieren, die ik bij me had, hebben betrekking op jouw zaak ... De cheque van Sloan en ...'

'Hebt u die cheque nog?' onderbrak Arendsoog hem gejaagd.

MacGlan klopte op zijn borstzak. 'Die cheque zat veilig in een geheim vakje van mijn portefeuille,' antwoordde hij. 'En mijn portefeuille zit nog op zijn plaats, zoals je ziet.' Hij haalde hem te voorschijn en vouwde hem open. 'Hier zit mijn geld en daaronder is een klein vakje, waarin ...' Hij zweeg plotseling en holde naar het vuur. Terwijl Arendsoog met ingehouden adem toekeek, onderzocht hij de portefeuille grondig. 'Weg ...! Verdwenen ...!' mompelde MacGlan volkomen uit het veld geslagen. 'Het eerste wat ik deed, toen ik bijkwam, was voelen of ik mijn portefeuille nog had ... Ik heb er geen moment rekening mee gehouden, dat die schurken de cheque zouden vinden en de portefeuille daarna weer zouden terugstoppen in mijn zak ...'

Arendsoog zuchtte diep. Al die spanning van de afgelopen

weken werd hem even te veel. De cheque van Sloan was verdwenen ... Dat betekende, dat het belangrijkste bewijsstuk verdwenen was ... Het bewijsstuk waarop hij vrijgesproken had moeten worden ... Plotseling begreep hij, dat hij een grote fout gemaakt had! Witte Veder en hij hadden Roowey en de 'derde man' gevolgd tot in Nieuw-Mexico. Toen zij deze derde man, die Sloan bleek te zijn, tenslotte vonden en voor hij stierf uit zijn mond een paar belangrijke mededelingen vernamen, hadden zij de achtervolging op Roowey stop gezet. In plaats daarvan waren zij zo snel mogelijk naar Dorwan teruggekeerd om te onderzoeken of Sloan inderdaad een fout had gemaakt toen hij Handell van het leven beroofde ... De prijs voor zijn stommiteit betaalde hij nu ... Hij vroeg zich af of Roowey de koets had overvallen. Als dat het geval was geweest, wie was dan de man die in zijn gezelschap was!?

'Wij gaan achter schurken?' onderbrak Witte Veder de loop van zijn gedachten.

'Er zal niet veel anders opzitten,' zuchtte Arendsoog. 'Zij hebben het enige bewijs van mijn onschuld in handen ... Laten we hopen, dat ze die cheque nog niet vernietigd hebben ...'

'En wat word ik geacht te doen?' bemoeide MacGlan zich ermee. 'Jullie denken toch zeker niet, dat ik me hierbij neerleg ...'

'U kunt niet veel anders doen dan wachten op de wagen, die van de ranch onderweg hierheen is,' antwoordde Arendsoog. 'U hebt geen paard om met ons mee te gaan en bovendien zou het geen kwaad kunnen als mijn moeder die wonden eens uitwaste ...' Hij floot Lightfeet, die even verderop stond te dromen. 'Voor ik het vergeet, mister MacGlan, hebt u die twee kerels goed kunnen opnemen?'

'Vergeet niet dat het donker was,' begon MacGlan zich maar vast te verontschuldigen. 'Wàt ik kon zien was niet veel. Ik weet alleen dat één van de twee gitzwart haar en een even donker snorretje had. De ander was grijs ... Dat leek het tenminste bij het licht van de maan.'

'Het is niet veel, maar beter dan niets,' zei Arendsoog gelaten.

'Er was nog iets ...' ging MacGlan in gedachten verzonken verder. 'Er was iets dat me opviel ... Verdraaid ... Waarom herinner ik het me nou niet ... Of ... Wacht eens ... Ja, nu weet ik het weer ... Die knaap met het zwarte haar had een opvallend accent ... Een noordelijk accent als je het mij vraagt ...'

Arendsoog keek Witte Veder veelbetekenend aan. Roowey had ook een noordelijk accent in zijn stem! Het was heel goed mogelijk, dat de man zijn haar geverfd had ... 'O.K., mister MacGlan, kunnen we u hier alleen laten? Zodra we kunnen, nemen we contact met u op.'

'Maak je over mij geen zorgen, Bob. Die wagen zal nu niet meer zolang op zich laten wachten.' En toen Arendsoog en Witte Veder opgestegen waren, voegde hij eraan toe: 'En jullie veel succes, hè!' Hoofdschuddend keek hij de twee vrienden na. 'Bob, je bent een pechvogel met een grote P,' mompelde hij.

Hoofdstuk 9

Naar Preston

Het spoor van de twee schurken was, ondanks de duisternis, niet moeilijk te volgen. Het werd onze vrienden al spoedig duidelijk, dat de kerels rechtstreeks naar Dorwan reden.

De zon stond al vrij hoog, toen zij de stad binnenreden. Het was stil in de straten, maar toch voelde Arendsoog zich niets op zijn gemak. 'Misschien is het verstandiger als jij alleen op onderzoek uitgaat,' zei hij tegen Witte Veder. 'Als Harry Dewill me ziet, móét hij me arresteren ... Ik wacht aan de rand van de stad wel op je.'

De Indiaan was het met hem eens en reed alleen verder. Arendsoog wendde Lightfeet en reed Dorwan weer uit. In een grote boog reed hij om de stad heen naar het noordoosten.

Het beloofde een warme dag te worden. In de bomen floten de vogels hun eerste concert. Piepend en knarsend verliet een trein het stationnetje. Het schelle gefluit van de locomotief deed de vogels verontwaardigd zwijgen. Pas toen de trein enkele honderden meters van Dorwan verwijderd was, hervatten zij hun gezang. Arendsoog steeg af en waste zich in een beek. Alles was vredig en stil. Tè vredig en tè stil naar Arendsoogs zin. De rust van de natuur was te zeer in tegenspraak met de onrust in zijn hart.

Er verstreek een uur, anderhalf uur. Toen verscheen een ruiter aan de rand van de stad. Arendsoog herkende zijn vriend onmiddellijk en zwaaide met zijn hoed. 'En?' vroeg hij gespannen, toen Witte Veder naderbij gekomen was.

'Mij vragen in Hotel Dorwan,' vertelde de Indiaan. 'Als

schurken daar niet zijn, mij gaan naar andere hotel en logement. Mij ontdekken zij wonen bij logement Stands.'

'De weduwe Stands? Ja, ik ken haar logement. Ben je erachter kunnen komen hoe zij heten?'

'Als mij komen zij zijn vertrokken,' moest Witte Veder hem teleurstellen. 'Zij zeggen weduwe zij moeten weg met trein ...' Hij zweeg onthutst omdat zijn vriend met een woedend gebaar de tak, die hij in zijn handen had, op de grond smeet.

'De trein ...!' viel Arendsoog uit. 'Als ik dat geweten had! Ik heb hem na staan kijken, toen hij uit het station vertrok!'

'Trein gaan naar Preston,' zei Witte Veder, die al geïnformeerd had.

'Die halen we toch niet in,' bromde Arendsoog pessimistisch. Hij zuchtte diep. 'Meer ben je niet te weten gekomen?'

'Weduwe Stands kennen naam van één man ...'

Arendsoog greep Witte Veder bij de arm. 'Roowey?'

Witte Veder schudde het hoofd. 'Man heten Delmonteque.'

'Delmonteque ... Delmonteque ...' herhaalde Arendsoog. Hij fronste de wenkbrauwen. 'Ik ken die naam ... Delmonteque ... Het is bepaald geen veel voorkomende naam ...' Hij zweeg en sloot de ogen om zich beter te kunnen concentreren. 'Zegt hij jou niets?'

'Mij ook denken,' antwoordde de Indiaan.

Plotseling ging er een enorme schok door Arendsoog heen. 'Delmonteque ... Ik heb het!' Witte Veder keek hem verwachtingsvol aan. 'Dat verklaart heel veel ...' mompelde Arendsoog. 'Delmonteque ...'

'Wie zijn Delmonteque?' vroeg Witte Veder, die er niets van begreep.

'Oh, sorry boy ... Een paar jaar geleden ... Je herinnert je hem vast nog wel. Haywood ... alias de markies van Thoisy-la-Berchère et Renaudiots ... Die naam vergeet ik mijn hele leven niet meer ... Haywood, die eens bekend was als toneelspeler onder de schuilnaam 'Delmonteque' ...!*'

Er ging Witte Veder een lichtje op. 'Delmonteque zijn Haywood van Spookranch?'

* Zie: De spookranch

'Juist! Die kerel is het!'
'Maar hij moeten zijn in gevangenis!'
Arendsoog haalde de schouders op. 'Het is mogelijk, dat zijn straf er al op zit, maar het kan evengoed dat hij ontsnapt is. Hij zou de eerste gevangene niet zijn die de voorkeur geeft aan de vrijheid! Weet je nog hoe ik bijna mijn hele kudde kwijt was geweest?! Pas op het allerlaatste moment kwamen we erachter dat de "markies" een grote bedrieger was en konden we hem arresteren. Haywood heeft me dat natuurlijk nooit vergeven en is nu vast en zeker op wraak uit ...'
'Daarom hij zorgen jij hebben geen alibi?'
Arendsoog knikte heftig. 'Ik twijfel er geen moment aan. Dat duivelse plan is in elkaar gezet om mij in de val te laten lopen! Het is niet te geloven, dat hij er zelfs niet voor terugdeinsde een moord te laten plegen ...!' Er viel een stilte, die slechts af en toe onderbroken werd door Arendsoog, die de naam 'Haywood' mompelde.
'Wat wij nu doen?' vroeg Witte Veder na enige tijd.
'Ik pieker me gaar, boy. Het heeft geen enkele zin om achter die trein aan te gaan. Hij stopt tussen Dorwan en Preston maar twee keer ... We kunnen hem onmogelijk inhalen en als we –vele uren later–in Preston aankomen zijn de vogels hoogstwaarschijnlijk allang gevlogen ...'
'Zij ook kunnen uitstappen onderweg!'
'Inderdaad. We zullen zowel in Brown Valley als in Jewtown op onderzoek uit moeten gaan. Als mocht blijken, dat ze niet onderweg zijn uitgestapt is onze achterstand alleen maar groter geworden ... Nee, we moeten een andere oplossing zoeken ...'
'Misschien Gene Prawn kunnen helpen?' opperde Witte Veder.
Arendsoog keek hem vragend aan. 'Gene Prawn? Die vroeger hier in Dorwan woonde? Ik dacht, dat die oude man allang ter ziele was.'
'Hij hebben zoon!' herinnerde Witte Veder hem.
'Verdraaid! Je hebt gelijk! Gene Prawn junior zal de zaak van zijn vader waarschijnlijk overgenomen hebben ...' Hij dacht even na. 'We moeten het gokken, boy,' zei hij dan. 'Het is de enige oplossing. De oude Prawn is in Preston een ijzerhandel

begonnen ... Als we daar een telegram naar toe sturen ... O.K.! We doen het. Je zult nog een keer terug moeten naar Dorwan, boy.'

'Wat mij zetten in telegram?'

Arendsoog dacht even na. 'We moeten het maar een beetje uitgebreid doen, vind je niet ... Adresseer het maar aan Prawn, IJzerhandel, Preston. Dat komt wel terecht, als de zaak nog bestaat tenminste. En zet als inhoud maar: Verzoek dringend twee vreemdelingen te volgen. Arriveren heden trein uit Dorwan. Signalement van één: erg lang, zwart haar, zwarte snor. Zal spoedig contact opnemen. Dank. Bob Stanhope. Ik geloof niet dat er nog meer bij moet.'

'Dan mij gaan,' stelde Witte Veder voor.

'Goed! Ik wacht hier op je!'

De volgende morgen tegen twaalf uur reden onze vrienden Preston binnen. Zover zij hadden kunnen nagaan waren Haywood en Roowey niet uitgestapt in Brown Valley of in Jewtown. Wel ontmoetten zij in dit laatste stadje een man, die bij de spoorwegen werkte en die het tweetal in de trein gezien had.

Preston was ongeveer één keer zo groot als Dorwan. Arendsoog was er zeker in geen twee jaar geweest en hij keek dan ook verwonderd naar alles wat er in die tijd was bijgebouwd. Ze waren echter niet naar de stad gekomen om haar te bekijken! Er was werk aan de winkel. Bij navraag bleek al spoedig, dat de ijzerhandel van Gene Prawn gevestigd was in een van de straten die op de hoofdstraat uitkwamen. Het kostte hun niet veel moeite de zaak te vinden. 'PRAWN HARDWARE' stond er op het raam. Arendsoog steeg af en liep naar de deur. Hij bleek op slot te zijn. Nu pas zag hij het papiertje dat tegen de etalageruit geplakt was. 'Boodschappen aan de overkant bij Harder'.

Arendsoog stak de straat over en klopte aan bij het huis van de Harders. Er werd opengedaan door een jong vrouwtje.

'Mijn naam is Stanhope,' stelde Arendsoog zich voor. 'Ik ...'

'Ik wist dat u zou komen, mister Stanhope,' onderbrak het vrouwtje hem vriendelijk. 'Mijn naam is mrs. Prawn.'

'Prawn!? Bent u Genes vrouw?'

'Inderdaad. Ik help mrs. Harder in het huishouden. Ze loopt al tegen de tachtig en kan het niet meer alleen af.'

Arendsoog liet haar uitspreken, maar hij popelde om te vragen of zij iets over Haywood en Roowey wist.

Mrs. Prawn wees naar Witte Veder. 'Hij is zeker uw vriend? Gene heeft me veel over u beiden verteld. Maar wat ben ik toch een slechte gastvrouw ...! Ik kom zo bij u ...' Terwijl ze haar schort losknoopte liep ze weer naar binnen. 'Ik heb mrs. Harder gezegd, dat ik wegga,' zei ze toen ze weer terugkwam.

In het kleine huiskamertje achter de ijzerhandel kreeg Arendsoog eindelijk de gelegenheid de vragen te stellen, die op zijn lippen brandden.

Gene was onmiddellijk op pad gegaan om te informeren hoe laat de trein uit Dorwan aan zou komen, toen hij de vorige dag Arendsoogs telegram had ontvangen. Toen hij hoorde dat dat zeven uur in de avond zou worden, was hij weer aan het werk gegaan. Precies om zeven uur was hij echter terug op het station. De twee mannen bleken inderdaad in de bewuste trein te zitten. Gene was ze gevolgd naar hun hotel.

'Welk hotel?' onderbrak Arendsoog het relaas van mrs. Prawn.

'Hotel "The Crown". Het ligt aan het eind van de hoofdstraat,' antwoordde de vrouw. 'Gene heeft de hele avond in de buurt rondgehangen. Hij was pas na middernacht thuis en vanmorgen om zes uur stond hij alweer op. Sindsdien heb ik niets meer van hem gehoord. Ik neem aan, dat hij nog steeds "de wacht houdt" bij The Crown!'

Arendsoog bedankte haar en maakte zijn verontschuldigingen voor de overlast, die hij haar en haar man had aangedaan. Mrs. Prawn wimpelde de verontschuldigingen af. 'Mijn man vond het een eer om iets voor u te mogen doen, mister Stanhope,' zei ze, terwijl ze meeliep naar de deur.

Toen zij de hoofdstraat in reden, zei Arendsoog: 'Het enige dat ik nu nog hoop is, dat Gene de sheriff er niet bij gehaald heeft.'

The Crown bleek een hotel te zijn, dat zichzelf overleefd had. Het zag eruit alsof het ieder moment kon instorten! De gevel had in minstens tien jaar geen kwast en verf gezien. Arendsoog en Witte Veder hadden weinig oog voor het gebouw. Ze vroegen zich af waar Gene was. Hadden Roowey en Haywood het hotel verlaten en was hij achter ze aan gegaan? Of hield hij het hotel op dit moment nog in de gaten van een plaats waar zij hem niet konden zien? Arendsoog keek om zich heen. Er was in de buurt geen plekje dat aan deze eisen voldeed. Of het zou de herberg aan de overkant van het hotel moeten zijn ...

'Kom mee, boy. We gaan daar wat eten. Als Gene Prawn er niet is, kunnen we toch niets anders doen dan afwachten. Om je de waarheid te zeggen, ik rammel van de honger!'

Vanaf hun plaats bij het raam konden zij het hotel en een groot stuk van de hoofdstraat in de gaten houden. Haywood en Roowey hadden zich nog steeds niet laten zien. De herbergier had al lang en breed afgeruimd en probeerde onze vrienden al meer dan een half uur 'weg te kijken'. Hoewel Arendsoog de blikken van de man niet ontgingen, deed hij net alsof hij niets zag. Waar moesten zij anders naar toe!?

Eindelijk, Arendsoog had de moed al bijna opgegeven, stootte Witte Veder hem onder tafel aan. Hij knikte met zijn hoofd in de richting van het centrum van Preston. Arendsoog keek over zijn schouder. Hoewel hij wist wat hij kon verwachten te zullen zien, schrok hij toch. Hij herkende Haywood onmiddellijk, ook al had de schurk zijn haar geverfd. De ex-toneelspeler, ex-veesmokkelaar zag er nu uit als een heer op leeftijd. Slechts zijn lenige manier van lopen verried dat hij jonger was dan zijn grijze haar deed vermoeden.

Arendsoog kon het niet helpen, dat zijn handen zich tot vuisten balden. Dáár liep de man die verantwoordelijk was voor alle wanhoop, angst en vertwijfeling van de afgelopen weken ...

Opgewekt liepen Haywood en zijn metgezel, in wie Arendsoog Roowey herkende, naar het hotel. Toen zij naar binnen gegaan waren, stond hij op en rekende af. Nu de herbergier zijn geld 'binnen' had, wilde hij een paar opmerkingen maken over klanten die veel te lang blijven zitten en tafels bezet houden. Toen hij echter de flinke tip zag, die Arendsoog liet liggen, deed hij hun buigend als een knipmes uitgeleide. In de hoofdstraat keek Arendsoog om zich heen. Enkele tientallen meters verderop stond een nog jonge man voor een winkel. Af en toe wierp hij een blik over zijn schouder in de richting van het hotel.

'Dat is Gene!' zei Arendsoog. Onopvallend liepen zij naar de man toe en gingen naast hem staan.

'Hallo Gene! Hoe is het met je?'

De jongeman schrok op en draaide zich met een ruk een halve slag om. 'Bob! Hoe maak jij het!?' riep hij dan verheugd uit. 'En Witte Veder is er ook, zie ik.'

'Niet zo hard!' zei Arendsoog geschrokken. 'Niet iedereen hoeft te weten wie wij zijn!'

'Hoe maken jullie het,' ging Gene nu met gedempte stem verder. 'Man, je bent niets veranderd in de afgelopen vijf jaar ...'

'Jij evenmin, Gene. Ik had verwacht een bezadigde kerel te zullen zien. Zo een met een buikje en al een beetje kalend, weet je wel. Maar je bent nog net zo'n kwajongen als vroeger ...'

'Zeg dat maar niet tegen mijn vrouw,' lachte Gene. 'Zij is juist zo trots dat ze erin geslaagd is mijn wilde haren eruit te trekken, zoals zij het uitdrukt ... Ik ben nu een brave huisvader hoor!' Hij trok er een gezicht bij, dat duidelijk maakte dat het tegendeel waar was! 'Maar vertel me eerst eens wat er eigenlijk allemaal aan de hand is. Ik heb in de koerier alles gelezen over je arrestatie en het proces. Ik hoef je niet te zeggen, dat ik geen seconde geloofd heb wat ze over je zeiden, hè? Toen ik gisteren je telegram kreeg ben ik dan ook onmiddellijk op pad gegaan. Ik nam aan, dat hetgeen ik moest doen met jouw zaak te maken had ...?'

'Inderdaad,' antwoordde Arendsoog. 'Ik wist wel, dat ik op je kon rekenen, Gene.' In het kort vertelde hij dan hoe de zaak in elkaar zat.

'Dus die knaap, die Haywood, is in het bezit van het enige bewijs van jouw onschuld?'

Arendsoog knikte. 'De vraag is alleen of hij die cheque intussen al vernietigd heeft. In dat geval ...'

'Als je het mij vraagt is die kerel er alleen op uit jou zoveel mogelijk ellende te bezorgen,' meende Gene. 'Hij wil wraak nemen en zal dat op alle mogelijke manieren doen. Ik denk dat hij zelfs in staat is je een afschrift van die cheque te sturen ... Zo van: bekijk dit maar eens goed. Het zal je niet helpen, want de echte cheque heb ik ...'

Arendsoog haalde de schouders op. 'Ik weet het niet, hoor. We zullen moeten afwachten. Wat hebben Haywood en Roowey sinds gisteravond eigenlijk allemaal gedaan?'

'Niet veel bijzonders. Gisteravond hebben ze het hotel alleen verlaten om een borrel te drinken in een paar saloons. Vanmorgen waren ze al vroeg uit de veren. Haywood bracht in zijn eentje een bezoek aan de Bank. Ik ken een knaap die daar werkt en toen Haywood weg was, heb ik gevraagd wie hij was. Harry, zo heet de jongen die ik ken, vertelde me, dat Haywood een cheque had geïnd. Hij had die cheque getekend met "markies van zus of zo" ...'

'Thoisy-la-Berchère,' zuchtte Arendsoog. 'Haywood geeft blijk van weinig fantasie! Of hij is erg gehecht aan de "schuilnamen" uit zijn verleden. Enfin, wat doet het er ook toe. Die cheque zal toch wel vervalst zijn ... Wat hebben ze daarna gedaan?'

'Haywood ging naar Dane Copper, terwijl Roowey in een saloon wachtte.'

'Dane Copper? Die naam zegt me niets.'

'Copper is advocaat. Hij is in Preston nogal bekend, of laat ik zeggen "berucht" ... Hij is wat men noemt een advocaat-voor-kwade-zaken.'

'Betrouwbaar?'

'Even betrouwbaar als een knaap, die al tienmaal voor diefstal veroordeeld is! Ik zou hem nog geen dollar toevertrouwen.'

'Ben je erachter kunnen komen wat Haywood met Copper te bepraten had?'

Gene schudde het hoofd. 'Maar het kan in elk geval niet veel goeds zijn. Copper heeft contacten met tientallen personen uit de onderwereld. Nee, die Haywood van jou heeft een goede neus ... Hij kon kiezen uit vier advocaten, maar koos juist de man die het beste bij hem past!'

'Vergeet niet, dat Haywood heel lang bij een reizend toneelgezelschap heeft gewerkt. Dergelijke mensen hebben overal hun kennissen zitten. Misschien kende hij Copper al.'

'Daar had ik nog niet aan gedacht. Hoe dan ook, hij is lang binnen gebleven bij Copper. Van daaruit is hij rechtstreeks naar het hotel gegaan, na Roowey te hebben opgehaald. Dat is alles ...'

'Je hebt me fantastisch geholpen, Gene,' zei Arendsoog. 'Zullen wij nu de wacht maar overnemen? Je vrouw zal zich intussen wel afvragen waar je blijft. Ze heeft je sinds vanmorgen vroeg niet meer gezien. Oh ja, voor ik het vergeet, waar woont die Copper?'

Gene wees het huis aan. Het lag aan de hoofdstraat, niet ver van de plaats waar zij stonden. 'Ik moet vanmiddag mijn zaak weer open gooien, Bob. Maar zodra ik kan, kom ik weer naar je toe. Is dat goed?'

'Mooier kan niet. Misschien kunnen we je hulp nog goed gebruiken.'

Toen Gene om de hoek van een zijstraat verdwenen was, keek Arendsoog Witte Veder vragend aan. 'Wat denk jij ervan, boy?'

'Haywood voorbereiden nieuwe plannen?' beantwoordde de Indiaan de vraag met een wedervraag.

'Het heeft daar inderdaad veel van weg. Waarom zou hij anders naar die Copper toegegaan zijn ... Je zou zeggen, dat alles erop wijst dat hij contact zoekt met andere beruchte figuren ...' Hij keek naar hotel 'The Crown'. 'We kunnen voorlopig niet veel meer doen dan afwachten. Laten we eerst maar eens zien welke stappen Haywood nog meer onderneemt.'

Hoofdstuk 10

Op het nippertje ontsnapt

In de eetzaal van het hotel voerde Haywood intussen een fluisterend gesprek met Roowey. Af en toe, als iemand hun tafel te dicht naderde, zweeg hij.

'Vind je het niet gevaarlijk om in zee te gaan met kerels die je niet kent?' vroeg Roowey zacht.

'Maak je geen zorgen. Copper zal wel uitkijken om me de verkeerde mannen op mijn dak te sturen. In de gevangenis heb ik genoeg over die zogenaamde advocaat gehoord om hem twintig jaar te bezorgen!'

'Maar wat is je bedoeling dan toch, boss?! Ik begrijp nog steeds niet wat je wilt doen.'

Haywood ging er eens recht voor zitten. 'Ik vertelde je toch, dat ik een paar jaar geleden een mooi zaakje bijna voor elkaar had ...'

'Tot Stanhope ertussen kwam.'

'Inderdaad! Wel, dat zat zo in elkaar. Ik ben toen naar de ranch van Stanhope gegaan en kocht een groot gedeelte van zijn veestapel.'

'Kocht!?'

'Laat me nu even uitpraten. Ik betaalde een gedeelte van de koopsom vooruit om vertrouwen te wekken. De rest zou Stanhope krijgen als hij het vee op de afgesproken plaats afleverde. Die plaats–een ranch die in de volksmond de naam de "Spookranch" had–lag vlak aan de Mexicaanse grens. Je begrijpt het zeker al, hè?'

Roowey keek hem echter schaapachtig aan.

'Als Stanhope met het vee daar aangekomen was, moesten mijn mannen het werk van de drijvers overnemen en het vee over de grens jagen. Stanhope zou dan kunnen fluiten naar zijn vee èn zijn geld.' Hij zweeg even en er verscheen een harde uitdrukking op zijn gezicht. 'Nou ja ... Het ging niet helemaal zoals ik gewenst had. De schuld daarvan was Stanhope.'

'En jij draaide de bak in.'

Haywood wierp zijn 'slaaf' een woedende blik toe. 'Ik ben er nu uit en dat is het voornaamste. Ik heb je al verteld, dat ik het Stanhope betaald zou zetten op een manier die hem meteen duidelijk zou maken wíé hem de moeilijkheden van de laatste weken heeft bezorgd. En ... hoe kan ik dat beter doen dan nogmaals te proberen het vee van onze vriend te pakken te krijgen ...'

Roowey keek bedenkelijk. 'Een gevaarlijk plan, boss.'

'Laat dat nu maar aan mij over. Voor Stanhope hoeven we deze keer niet bang te zijn. Nu wij de cheque van Sloan hebben, zal hij wel uitkijken om zich in de buurt van Dorwan, Mining-Valley of zijn ranch te laten zien ... Bovendien bestaat de mogelijkheid, dat hij intussen alweer achter slot en grendel zit!'

Roowey was nog steeds niet overtuigd.

'En deze keer zal mijn plan slagen, dat zweer ik je,' zei Haywood, terwijl hij de lippen op elkaar klemde.

'Is het nu niet juist het verkeerde moment?' probeerde Roowey bezwaren aan te dragen. Het plan van Haywood zat hem helemaal niet lekker. Het was teveel gebaseerd op veronderstellingen en mogelijkheden. 'De veetransporten zijn al geweest en de buit kan dan ook nooit erg groot zijn.'

'Vergeet niet dat Stanhope vee fòkt!' wierp Haywood tegen. 'Een fokker verkoopt echt zijn beste dieren niet. Nee, Roowey, op de weiden ten zuiden en ten noorden van de S-ranch wacht ons een stevige buit ... Er is bovendien nog een reden waarom mijn plan nú meer kans van slagen heeft dan een paar maanden geleden. De meeste veediefstallen vinden plaats in de tijd vóór de round-up en de veetransporten. De jonge dieren zijn dan nog niet gebrandmerkt en iedereen kan zich de eigenaar noemen. In die tijd is er dan ook veel meer bewaking bij de kudden. Nú verwacht ik maar een paar man en daar zullen we weinig moeite mee hebben ...'

'Maar je zegt het zelf, boss!' riep Roowey bijna wanhopig uit. 'Het vee van Stanhope is nu toch wel gebrandmerkt! Voor we één koe van de hand hebben gedaan, hebben ze ons te pakken!'

Haywood grinnikte. 'Denk je echt dat ik zo gek ben? Heus, jongen, ik heb de afgelopen jaren meer dan voldoende gelegenheid gehad om mijn plannen uit te werken ...' Hij stond op en verliet de eetzaal. Toen hij terug kwam, had hij een voorwerp in de handen, dat in een stuk leer verpakt was. Hij legde het voor zich neer alsof het een kostbaar kleinood was. 'Dit, Roowey, is hèt grote geheim ...' Overdreven langzaam vouwde hij het leer open.

'Wat is dat?' vroeg Roowey verbaasd. Hij pakte het ijzeren voorwerp en keerde het om. 'Een brandmerk ...!' riep hij dan uit.

Haywood knikte tevreden. 'Juist! En wat staat er op dit brandmerk? Een zwarte driehoek, zoals je ziet ... Wel, hoe ziet het brandmerk van de S-ranch eruit?'

Roowey haalde de schouders op. 'Een "S" misschien?'

'Inderdaad. En cirkel met daarin een "S" ... Het enige dat wij te doen hebben is het vee een nieuw brandmerk te geven over het oude heen ...! En zo verandert Stanhopes vee van eigenaar! De nieuwe bezitter is vanaf dat moment de eigenaar van de "Black Triangleranch".'

Roowey had het gevoel dat hij droomde. 'De ... Black Triangleranch ... (De Zwarte-Driehoekranch) Maar ... maar men is er toch zo achter dat die ranch niet bestaat!'

Weer grinnikte Haywood. 'Niet bestònd, bedoel je ... Geloof me nu maar dat ik niets aan het toeval heb overgelaten. We gaan zodra Copper voldoende mannen bij elkaar heeft, naar de weiden van de S-ranch. Ik denk niet dat we veel tegenstand zullen ondervinden van het handjevol cowboys dat daar op het vee past. Als dat toch het geval is ...' Hij maakte een gebaar dat duidelijk genoeg was! 'Zodra die cowboys onschadelijk zijn gemaakt, drijven we het vee bij elkaar, brandmerken het zo snel mogelijk en drijven het dan in noordelijke richting ...'

'In noordelijke richting? Dat is deze kant op!'

'Ja, om de eenvoudige reden dat daar de Black Triangleranch ligt!'

'Dus hij bestaat ècht!?'

'Sinds vanmorgen!'

Roowey gaf het op. Hij kon het allemaal niet meer volgen.

'Je weet net zo goed als ik dat er altijd wel ergens een ranch voor een zacht prijsje te koop is. Ik had me voorgesteld zo'n ranch te kopen. Voor een paar honderd dollar zou ik wel klaar geweest zijn. Vanmorgen vertelde ik dat aan Copper. Hij had een veel beter plan. Ten zuiden van Preston ligt een kleine ranch waarvan hij de eigenaar is. De rancher die de scepter zwaait schijnt nogal veel aan Copper te danken te hebben en doet alles wat de advocaat zegt. Copper zou ervoor zorgen, dat de naam van die ranch zo gauw mogelijk veranderd wordt in de Black Triangle ...'

'Je hebt toch wel een heleboel geluk, boss,' zuchtte Roowey.

'Het mocht ook wel na al die jaren ... Ik ging vanmorgen eigenlijk naar Copper om over de aankoop van een ranch te praten. Nu dat niet nodig bleek te zijn, hebben we een paar weken gewonnen en kunnen we gelijk aan het werk gaan. Copper zorgt voor de ranch en de mannen die ik nodig heb ... Mooier kan het niet!'

'Dat zal hij vast niet voor niets doen,' bromde Roowey.

'Voor niets gaat de zon op! Natuurlijk kost het me wat, maar er zal toch voldoende voor ons overblijven om er de komende maanden ons gemak van te kunnen nemen.' Hij zweeg even en staarde naar de muur van het zaaltje. 'En al bracht het me geen cent op,' zei hij toen zacht, 'het belangrijkste is, dat Stanhope weet wat het betekent als Haywood wraak zweert ...'

Roowey gaf geen antwoord, maar keek de boss zwijgend aan. Wat moest die man zijn vijand haten!

De gehele middag en een gedeelte van de avond hadden Arendsoog en Witte Veder de wacht gehouden bij het hotel. Al die tijd hadden Roowey en Haywood zich niet laten zien. Om te voorkomen dat zij teveel de aandacht zouden trekken, waren zij uit elkaar gegaan. Witte Veder zat tegen de muur van een huis in het zonnetje en deed alsof hij sliep, terwijl Arendsoog de hoofdstraat op en neer slenterde. Toen de avond viel, stond Witte Veder op en zocht een ander plekje. In de loop van de middag was Gene twee keer poolshoogte komen nemen. Toen Arendsoog hem vertelde, dat er niets gebeurd was sinds zijn vertrek haastte hij zich weer terug naar zijn winkel.

Eindelijk, het was een uur of negen, werd de deur van het hotel geopend en verschenen de twee schurken. Arendsoog, die op dat moment juist in de richting van de mannen liep, schoot een zijstraat in. Nog geen drie seconden later voegde Witte Veder zich bij hem. Arendsoog had zijn vriend zeker al een half uur niet gezien en vroeg zich verbaasd af waar de Indiaan zo plotseling vandaan kwam. Er was echter geen tijd voor een praatje. Haywood en Roowey liepen snel door de hoofdstraat en Arendsoog en Witte Veder moesten zich haasten om de schurken niet uit het oog te verliezen.

Ongeveer halverwege de hoofdstraat bleven de twee mannen staan.

'Ze moeten bij Copper zijn,' zei Arendsoog zacht. In de loop van de middag was hij een paar maal langs het huis gewandeld en had het eens opgenomen. 'Ik zou er wat voor over hebben als ik daar binnen kon komen ...'

Witte Veder stootte hem aan. Haywood en Roowey waren binnengelaten, maar er stonden alweer een paar andere mannen voor de deur.

'Als je het mij vraagt wordt bij Copper een reünie van oudgevangenen gehouden,' bromde Arendsoog, die de ongure gezichten van de mannen had gezien.

'Jij willen binnengaan?' vroeg Witte Veder.

'Wat bedoel je? Bij Copper naar binnen?'

'Mij kijken aan achterkant van huis. Mij voorvoelen huis worden belangrijk vanavond,' antwoordde de Indiaan.

Dus daar was Witte Veder het afgelopen half uur geweest! Het zesde zintuig van de Indiaan had hem verteld, dat het huis van Copper nog een rol zou spelen en daarom was hij maar vast op onderzoek uitgegaan. Voor de zoveelste keer bleek weer eens dat het voorgevoel van Witte Veder akelig goed uitkwam!

'Is er een mogelijkheid?'

'Jij meekomen naar achterkant.'

Via een zijstraat kwamen ze achter het huis van de advocaat. De grote tuin, die het omgaf stond vol struiken. Er waren meer dan voldoende plaatsen om je schuil te houden! Zonder een woord te zeggen wipte de Indiaan over het hek dat de tuin omgaf, na zich er eerst van overtuigd te hebben dat er niemand in de buurt was. Tussen een groepje struiken hurkte de Indiaan neer. Arendsoog volgde hem op de voet. Witte Veder trok zijn vriend iets opzij, waardoor Arendsoog tussen de takken van de struiken door kon kijken.

'Wij daar in kunnen,' fluisterde de Indiaan.

Arendsoog keek naar het raam, dat Witte Veder aanwees. Het was een raam op de eerste verdieping, vlak boven een uitbouw waarin waarschijnlijk de keuken of een bijkeuken was. Gedurende een paar minuten nam Arendsoog de omgeving goed in zich op. Als zij naar de zijkant van de uitbouw liepen waren zij slechts vanuit het naastgelegen huis te zien. Dat risico moesten ze lopen. Het zou wel toevallig zijn als daar net iemand voor de ramen stond!

'O.K.! We gaan!' siste hij. Tegelijk stond hij op en holde tussen de struiken door naar het huis. Met ingehouden adem drukte hij zich daar tegen de muur van de uitbouw. Zonder dat zij een woord wisselden wisten zij wat ze nu moesten doen. Arendsoog vouwde zijn handen voor zijn lichaam. Witte Veder zette zijn rechtervoet in de handen ... Heel even voelde Arendsoog een lichte druk. Toen lag de Indiaan al op de uitbouw. Het was allemaal ongelooflijk snel gegaan. Nu was het Arendsoogs beurt. Hij nam een korte aanloop en sprong ... Hij zorgde er wel voor dat zijn laarzen niet tegen de muur sloegen ... Zijn handen grepen de bovenrand van de uitbouw. Toen hij zich begon op te trekken, klemden Witte Veders handen zich om zijn polsen en hielpen hem.

Doodstil bleven zij naast elkaar liggen. Niemand had hun aan het werk gezien, want het bleef overal stil. Wel klonk er een doffe klap en ging er een heel lichte trilling door het huis. De twee vrienden wisten onmiddellijk wat dit betekende. Copper had nog meer gasten binnengelaten en sloeg de voordeur nogal hard dicht! Onhoorbaar kwam Arendsoog nu overeind en liep naar de muur van het huis. Het raam zat op borsthoogte en het kostte onze vriend geen moeite om het verder open te schuiven. Tien seconden later was de cowboy over de vensterbank geklommen en in de duisternis van het erachter liggende vertrek verdwenen. Witte Veder wilde zijn voorbeeld volgen, maar Arendsoogs waarschuwende stem weerhield hem.

'Achter je,' siste Arendsoog.

Witte Veder draaide zijn hoofd een weinig om, terwijl hij zich plat tegen het dak van de uitbouw aandrukte. In de tuin van het huis achter dat van Copper haalde een vrouw de was binnen. Er verstreken vijf minuten waarin onze beide vrienden nauwelijks durfden ademhalen. Toen verdween de vrouw met haar armen vol wasgoed naar binnen. Een paar seconden later stond Witte Veder reeds naast zijn vriend. Onbeweeglijk luisterden zij naar de geluiden in het huis. Er lachte iemand met een zware schaterlach ...

Zonder ook maar het geringste geluid te maken sloop Arendsoog naar de deur van de kamer. Heel langzaam opende hij hem ... Hij keek in een schemerdonkere gang. Rechts van hem was nog een deur. Een slaapkamer, veronderstelde hij. Links stond een trap loodrecht op de gang. Over de dikke loper sloop hij naar de trap ... Zoals hij verwacht had telde dit gedeelte van de trap slechts weinig treden. Dan stond men op een soort platform en moest men een haakse bocht naar rechts maken om naar de parterre te kunnen afdalen. De gehele benedenverdieping bestond uit één zeer groot vertrek. Helemaal links stonden een bureau en een enorme boekenkast; daarvóór, ongeveer in het midden van de kamer, een tafel met zes stoelen eromheen. De rechterhelft van de kamer werd door de muur naast de trap voor Arendsoog aan het oog onttrokken. Hij veronderstelde echter dat dáár het 'gemakkelijke zitje' was waar Copper zijn gasten ontving. Hij kon nu namelijk woordelijk verstaan wat er gezegd werd, zonder dat hij evenwel de mannen kon zien.

Witte Veder was naast hem komen staan en samen luisterden

zij naar de uiteenzetting die Haywood gaf. Naarmate het verhaal vorderde werden Arendsoogs ogen groter. Hij keek Witte Veder aan en tikte tegen zijn voorhoofd, een gebaar dat een vage glimlach te voorschijn toverde. Het plan van Haywood kon inderdaad alleen maar ontstaan zijn in de geest van iemand die ze niet allemaal op een rijtje had! Of ... was Haywood zó verbitterd dat zijn hersens iedere zelfkritiek verdrongen? Arendsoog wist dat dit vaker voorkwam. Een mens kan zo bezeten raken van een bepaald idee, dat hij dit hoe dan ook wil verwezenlijken en blind is voor alle mogelijke bezwaren die aan zijn plan kleven. Eén ding verbaasde hem echter. Copper, die toch bepaald geen domme jongen was, scheen volkomen achter Haywood te staan. De advocaat moest toch ook inzien, dat Haywoods plannen alleen met een onwaarschijnlijke hoeveelheid geluk uitvoerbaar waren!

Ongeveer twintig minuten was Haywood aan het woord. Toen hij uitgesproken was, was de beurt aan Copper. Met gladde tong veegde hij de bezwaren die door twee van de aanwezigen geopperd werden, van de tafel. Arendsoog kon het niet helpen, dat hij een zekere bewondering voelde voor de slimme advocaat. Hij beheerste het gesprek volkomen. Binnen vijf minuten maakte hij er een eind aan met de woorden: 'O.K., dat is dus afgesproken. Morgenochtend zien we elkaar weer bij mijn ranch.' En grijnzend voegde hij eraan toe: 'Dan kunnen jullie er meteen getuige van zijn als de ranch omgedoopt wordt!'

Er klonk een geluid van stoelen, die achteruit geschoven werden. Arendsoog keek voorzichtig om de hoek van de muur. Copper liet Haywood, Roowey en nog drie kerels uit. De anderen gaf hij achter Haywoods rug een seintje. Blijf nog even hier, betekende dit. Hij maakte het nablijven voor de anderen aannemelijk met de woorden: 'Wij kunnen meteen wel even praten over die affaire-Bulder. Jullie zijn nu toch hier ...'

De deur werd dichtgedaan.

'Affaire-Bulder ...? Wat bedoel je?' vroeg één van de achtergeblevenen.

Copper lachte schaterend. 'Ik bedoelde niets ... Ik zocht alleen een smoes om jullie even alleen te kunnen spreken.' Weer klonk het geluid van schuivende stoelen. 'Een borrel?' Er werd instemmend gemompeld. 'Farn, schenk jij even in. Achter je staan glazen ...'

Hoewel Arendsoog Haywood liever geen seconde uit het oog wilde verliezen, was het alsof een onzichtbare hand hem hier hield. Een vreemd voorgevoel zei hem dat het belangrijk was, dat hij bleef ...

'Dat plan ... eh ... Copper ...,' begon een van de mannen.

'Haywood is geschift!' viel Copper hem koel in de reden.

Doodse stilte ... Zelfs de man die de borrels inschonk verroerde zich niet meer.

'Wat zitten jullie me nu stom aan te staren! Ik ben toch wel duidelijk genoeg, is het niet? Het is zelfs voor de grootste stommeling niet moeilijk om te zien, dat er aan die kerel een steekje los is ... Of zeg maar gerust: een hele grote steek!'

'Maar ... maar ... toen hij zijn plannen ontvouwde was je het roerend met hem eens!' protesteerde een ander.

Copper grinnikte. 'Ik heb het kennelijk goed gespeeld! Als jullie meenden dat ik achter Haywoods plannen sta, gelooft híj het zeker. En zo moet het ook!'

'Ik begrijp er geen snars van,' klonk het in verschillende toonaarden. 'Moeten we die kerel nou helpen, ja of nee ...?'

'Ja èn nee,' antwoordde Copper geheimzinnig. 'Zeg, krijgen we nog wat Farn?' De aangesprokene ging verder met inschenken. 'Haywood was hier vanmorgen ook al,' vervolgde Copper. 'Hij heeft mij toen iets meer verteld dan hij vanavond deed.' Heel in het kort vertelde hij zijn vrienden dan over de manier waarop Roowey en Sloan namens Haywood Arendsoog achter de tralies hadden gekregen. 'Haywood heeft die bewuste cheque nu in zijn bezit,' ging hij verder. 'Hij veronderstelde, dat Stanhope alias Arendsoog op dit moment weer achter slot en grendel zit òf zich niet in de buurt van Dorwan durft te vertonen. Ik geef niet zoveel om de veronderstellingen van mister Haywood. Ik heb graag zekerheid. Daarom heb ik vanmorgen onmiddellijk een telegram gestuurd aan een collega van mij in Dorwan. Het antwoord kreeg ik vanmiddag al ...' Hij zweeg even en Arendsoog hoorde het ritselen van een papier. 'Stanhope nog op vrije

voet stop groeten Markwell,' las Copper dan hardop voor.
'In dat geval word je feestelijk bedankt!' riep een van de kerels uit. 'Ik brand mijn vingers niet aan een zaakje waar Arendsoog mee te maken heeft!'
'Die reactie had ik verwacht,' zei Copper scherp. 'Maar als jullie mij nu eens even de gelegenheid gaven om míjn plan te ontvouwen, dan mag je me daarna nog een keer zeggen hoe je erover denkt!' Hij liet zijn stem nu iets dalen. 'Even de feiten,' ging hij verder. 'Arendsoog is, hoe je het ook wendt of keert, nog steeds een veroordeelde ... Hij heeft die cheque nodig om zijn onschuld te bewijzen. Haywood heeft die cheque uit de portefeuille gehaald van een particuliere detective die voor Stanhope werkte. Wat denken jullie: zou die detective dat aan Stanhope verteld hebben?'
'Natuurlijk!'
'Goed! Arendsoog weet dus, dat de cheque verdwenen is. Ik geloof dat jullie allemaal voldoende van die knaap gehoord hebben om te kunnen weten, dat hij de onderste steen boven zal halen om dat papiertje in handen te krijgen!'
Je moest eens weten, dacht Arendsoog.
'En nu mag Haywood er "zeker" van zijn dat Stanhope niet weet wie zijn tegenstander is, ook voor die mening geef ik geen cent. Laten we maar gevoeglijk aannemen, dat Arendsoog drommels goed weet met wie hij te maken heeft! Uit deze twee punten volgt mijn veronderstelling, dat Arendsoog Haywood dichter op de hielen zit dan hem lief is. Laten we eens aannemen, dat dit inderdaad het geval is ...'
'Prettige gedachte,' onderbrak een van de aanwezigen hem cynisch.
'Voor Haywood inderdaad geen prettige gedachte en het is dan ook maar gelukkig dat hij het zich niet bewust is, want het past namelijk uitstekend in mijn plan ... Ik heb het vanmiddag uitgewerkt ... Even de papieren pakken ...'
Te oordelen naar het geluid kwam Copper overeind. Arendsoog hoorde zijn zware voetstappen dichterbij komen. Razendsnel doken Witte Veder en hij de paar treden op en verscholen zich achter de muur.

Copper was bij zijn bureau blijven staan en trok een lade open. En toen liet het geluk onze vrienden in de steek ... Opzij van de boekenkast hing een enorme spiegel die in een goudkleurige lijst gevat was. Van de plaats waar hij nu stond kon Copper net het bovenste deel van de trap en een stukje van de gang zien ... Toen Arendsoog, gealarmeerd door de plotselinge stilte, het gevaar in de gaten kreeg was het al te laat. Coppers hand verdween weer in de bovenste lade ...

PANG! PANG! PANG!

Drie kogels vlogen rakelings over de hoofden van onze vrienden en sloegen gaten in de muur van de gang ...

Arendsoogs hersens werkten onder hoogspanning. Als een of meerdere van Coppers mannen naar de achterkant van het huis holden zaten zij als ratten in de val!

'Snel, boy! Weg wezen!' siste hij.

Om de kamer te bereiken waardoor zij het huis binnengedrongen waren, moesten zij echter de baan van Coppers kogels kruisen. Dan het ernaast gelegen vertrek maar! Terwijl de advocaat hulptroepen in het geweer riep, stormden Arendsoog en Witte Veder de kamer binnen. Ze braken in hun haast om het raam te bereiken bijna hun benen over een bed. Arendsoog greep de handvatten en schoof het raam met een wilde ruk open. Het mag een wonder heten dat de ruit niet aan diggelen ging!

Toen zij met een lenige sprong in de tuin terecht kwamen, werd de keukendeur opengesmeten ... Arendsoog bedacht zich geen seconde. Weglopen was nú te gevaarlijk ... Een kogel is nu eenmaal veel sneller dan de snelste mens. Wat hij ook gedacht mag hebben, de man in de opening van de keukendeur had zeker niet verwacht, dat zijn tegenstander in plaats van te vluchten in de aanval zou gaan! Voor hij zich realiseerde wat er gebeurde raakte Arendsoogs vuist hem precies onder de kin. Hij vloog achteruit tegen een ander aan, die vloekend over een tafel sloeg.

Toen hij overeind gekrabbeld was, lag de tuin stil en verlaten. Van de indringers was geen spoor meer te bekennen ...

Hoofdstuk 11

Farn speelt het goed

Hijgend van de inspanning bleven Arendsoog en Witte Veder in de duisternis naast een huis staan. Het was een ontsnapping op het nippertje geweest.

'Dat is ... wat je noemt ... pech hebben,' hijgde Arendsoog. Hij haalde een paar maal diep adem. 'Als die spiegel daar niet gehangen had zouden we Coppers plannen gekend hebben ...'

'Spiegel hangen daar!' antwoordde Witte Veder, onverstoorbaar als altijd. Maar hij had gelijk! De feiten lagen nu eenmaal zo en het had geen enkele zin om te zeggen: 'als ...'!

'Enfin, niets aan te doen,' berustte ook Arendsoog. 'Het is niet verstandig om vanavond nog in de buurt van dat huis te komen ... Laten we het er maar op houden, dat Haywood de andere mannen morgen ergens ten zuiden van Preston zal ontmoeten. Ik denk dat we daar in de buurt wel een plekje zullen vinden om de nacht door te brengen.' Ze haalden de paarden op en verlieten de stad. En hoewel zij inderdaad een uitstekende slaapplaats vonden, kon Arendsoog de slaap niet vatten. Hij zou er iets voor over hebben gehad om te weten wat Copper in zijn schild voerde ...

In de woonkamer van Coppers huis was de rust intussen weergekeerd. De man, die kennis had gemaakt met Arendsoogs vuist, wreef met een zuur gezicht over zijn pijnlijke kin.

'Ik vraag me af wat die indringer hier zocht,' zei Farn in gedachten verzonken.

'Ze waren met z'n tweeën,' zei een van de anderen, die naar de naam Sturdy luisterde. 'Ik zag een cowboy en een Indiaan ...'

'Een Indiaan!?' bemoeide een derde zich ermee. 'Heb je wel goed gekeken?'

'Het is niet zo vreemd als het klinkt Wayburn,' zei Copper nuchter. 'Het is heel goed mogelijk, dat er een Indiaan bij was.'

'Maar ... hoe ...'

'Arendsoog en ... Witte Veder,' onderbrak Copper hem.

Er viel een doodse stilte, die na vele tientallen lange seconden door Sturdy verbroken werd. 'Arendsoog en Witte Veder ...' herhaalde hij vol ontzag. Toen schudde hij beslist het hoofd. 'Nee, Copper, ik stap eruit ... Het wordt mij te gevaarlijk met die twee ...'

De anderen mompelden hun instemming.

Copper zuchtte diep. 'Voor we door die indringers onderbroken werden, probeerde ik jullie juist duidelijk te maken, dat Arendsoog Haywood ongetwijfeld op de hielen zit. En wat gebeurt er ...? Nog geen vijf minuten later wordt het bewijs geleverd!'

'Wees er gelukkig mee,' bromde Wayburn.

'Inderdaad! Ik ben er gelukkig mee. Het geeft mij namelijk de zekerheid, dat mijn plan uitvoerbaar is.'

'Je vergeet, dat Arendsoog die plannen nu ook kent, Copper!'

'Oh nee! Herinner je je nog wanneer ik ontdekte dat er vreemden in huis waren? Dat gebeurde toen ik naar mijn bureau liep om dit papier te pakken. Ik had mijn plannen nog niet uiteengezet!'

De anderen moesten toegeven, dat hij gelijk had om de doodeenvoudige reden dat zij zelf op dit moment ook nog niet wisten wat Copper in zijn schild voerde!

Copper begreep, dat hij nu de kerels moest overreden. Hij vouwde het papier open. 'Tijdens dat gesprek met Haywood vanmorgen heb ik een plattegrond gemaakt van de situatie,' begon hij dan. 'Kijk, dit kruis stelt de S-ranch voor, zo heet de ranch van Arendsoog. Ten noorden èn ten zuiden van de gebouwen liggen de weiden van onze vriend. De weiden schijnen daar bijzonder goed en vruchtbaar te zijn en het vee is dan ook van de beste kwaliteit.' Zijn vinger gleed langs het papier omhoog. 'Hier, boven de noordelijke weiden, liggen heuvels die een paar mijl verderop overgaan in het Parkergebergte ...'

'Ligt Preston hier?' vroeg Farn, terwijl hij zijn wijsvinger vlak naast Coppers vinger op het papier zette.

'Juist! Dit is Preston en hier, iets zuidelijker, ligt mijn ranch ...'

'De Black Triangle?'

'Ja, zo gaat hij vanaf morgen heten. Maar om terug te komen op mijn plan ... Morgen ontmoeten jullie Haywood op die ranch. Met hem en de andere jongens rijden jullie dan naar de noordelijke weiden van de S-ranch. Ik geloof, dat jullie er gedurende die rit terdege rekening mee moeten houden dat Arendsoog ergens in de buurt is. Vergeet bij alles wat jullie doen echter vooral niet dat Haywood geen argwaan mag krijgen. Jullie doen precies wat hij zegt. De cowboys, die de kudde bewaken, worden onschadelijk gemaakt ...'

'En Arendsoog laat dat zo maar toe!' zei Sturdy schamper.

'Hopelijk niet!' antwoordde Copper tot zijn verbazing. 'Dan zou mijn plan lelijk in duigen vallen. Ik ga er juist vanuit dat Stanhope zich er wèl mee bemoeit ... Nu ik er zeker van ben dat hij Haywood op het spoor is, durf ik daar met een gerust hart op te rekenen ...'

'Ik ben een biet als ik het snap,' zuchtte de vierde man, die Klounder heette.

Copper grinnikte. 'Mijn hele plan is gebaseerd op het feit dat ik toevallig weet uit welke hoek de wind meestal waait,' zei hij geheimzinnig. De anderen keken hem vragend aan. Sprak Copper in beeldspraak of bedoelde hij werkelijk de windrichting!?

De advocaat boog zich dichter naar de anderen over en liet zijn stem dalen tot een zacht gefluister. En terwijl de ogen van de kerels steeds groter werden van verwondering en bewondering zette hij zijn plan uiteen ...

Toen de zon haar eerste stralen over de heuvels ten zuiden van Preston wierp, werden Arendsoog en Witte Veder wakker. In het westen deed de nacht wanhopige pogingen om de aarde in haar donkere macht te houden. Tevergeefs. Langzaam maar onherroepelijk verdreef het licht de duisternis. Toen onze vrienden zich verfristen in het koude water van een beek, was de natuur al vol leven.

Een kwartiertje later zaten zij reeds in het zadel. 'Die zogenaamde Black Triangle kan hier niet ver vandaan zijn,' meende Arendsoog. Hij keek naar het zuiden waar het Parkergebergte, één van de uitlopers van het Rotsgebergte, met zijn toppen naar de hemel wees. Daarvandaan moesten zij een schitterend overzicht hebben op de vallei, waar Preston in lag. De paarden, die de vorige dag voldoende rust hadden gehad na de lange rit van Dorwan naar Preston, hadden er zin in. Ze schenen er een spelletje van te maken wie de bergen het eerst bereikte. Het was niet zo verwonderlijk, dat Lightfeet zijn stalgenoot gemakkelijk voor bleef!

Arendsoog kreeg gelijk. Toen zij op een plateau op een hoogte van ongeveer honderd vijftig meter afgestegen waren konden zij de gehele vallei overzien. Arendsoog, die zich op de S-ranch van nieuwe zadeltassen en een nieuwe kijker had voorzien, haalde het instrument te voorschijn en stelde het in. De strook vruchtbaar weideland tussen het stadje en de bergen was niet erg breed en er lagen dan ook niet veel ranches.

Er verstreek een uur ... twee uur ... Toen, het zal ongeveer elf uur zijn geweest, maakte zich een groepje ruiters los van de huizen van Preston. Arendsoog greep de kijker en tuurde ingespannen naar de ruiters.

'Kijk jij eens, boy,' zei hij dan, terwijl hij de kijker aan zijn Indiaanse vriend gaf. 'Volgens mij zijn ze het.'

Gedurende een paar minuten nam Witte Veder de kerels op. Toen hij het instrument weer teruggaf, knikte hij bevestigend.

Arendsoog verloor de mannen nu geen seconde meer uit het oog. Ze waren kennelijk vertrouwd met het terrein, want ze reden zonder omwegen te maken naar een kleine ranch die slechts enkele honderden meters van de voet van het Parkergebergte verwijderd was. Korte tijd later verlieten nog twee ruiters Preston. 'Haywood en Roowey,' rapporteerde Arendsoog. De twee schurken hadden iets meer moeite om de ranch te vinden en tot twee keer toe verloor Arendsoog ze uit het oog,

toen ze achter de heuvels verdwenen.

'Met Roowey en Haywood erbij, tel ik tien man,' zei Arendsoog, toen de twee mannen de ranch bereikt hadden. 'En nu ...'

De ruiters waren de ranch binnengegaan. Een half uur lang gebeurde er niets. Toen kwamen zij weer naar buiten. Er was nu een elfde man bij, die driftig het bord boven het hek dat het erf omgaf begon los te wrikken.

'De "doopplechtigheid" is kennelijk achter de rug,' constateerde Arendsoog. 'Over een uurtje zal daar wel een pas geverfd bord met het opschrift "Black Triangle" hangen ...'

Ze hoefden niet eens zolang te wachten, want reeds kwam één van de mannen met een nieuw bord aandragen.

'Copper heeft zijn zaken wel voor elkaar,' mompelde Arendsoog. 'Hij laat er geen gras over groeien.'

De mannen stegen op en maakten zich reisvaardig. Eén van de tien ruiters bleef achter. Arendsoog veronderstelde, dat het Copper zelf was.

'Negen man dus,' zei Arendsoog, terwijl hij de kijker wegborg. 'Kom aan, boy, we moeten ze voorblijven!' Ze holden naar de paarden en stegen op. 'Haywood zal vreemd opkijken als hij tot de ontdekking komt dat de cowboys op de noordelijke weiden gewaarschuwd zijn,' zei Arendsoog, toen zij tussen de bergen verdwenen waren.

'Mij afvragen wat Copper zijn van plan,' antwoordde Witte Veder.

'Ik heb me vannacht gaar gepiekerd,' zei Arendsoog. 'Maar ik kom er ook niet uit. Copper wil Haywood kennelijk schaakmat zetten, evenwel zonder zelf "stukken" te verliezen,' trok hij een vergelijking met het schaakspel. 'Die "stukken" zullen in dit geval wel koeien zijn ...'

Ja, zo ver had Witte Veder het ook al beredeneerd. De grote vraag was echter: hóé wilde Copper dit klaarspelen ...!?

De kudde op de noordelijke weiden werd bewaakt door drie man: Harry Winter, die al acht jaar in Arendsoogs dienst was, Simon Fraunt en de Mexicaanse jongen die pas zeven maanden geleden was aangenomen, Pablo. Natuurlijk wist dit drietal dat hun 'boss' van moord beschuldigd en voortvluchtig was. Het is dan ook niet zo vreemd dat zij hun ogen wijd opensperden toen Arendsoog en Witte Veder plotseling zo dicht in de buurt van de ranch opdoken. Onze vrienden werden bestormd met vragen, maar Arendsoog had geen tijd om uitgebreid antwoord te geven. In enkele zinnen vertelde hij zijn mannen wat hun te wachten stond.

'Laat ze maar komen! Ik lust ze rauw,' bromde Harry Winter, toen Arendsoog uitgesproken was.

'Ons doel is niet de schurken overhoop te schieten,' zei Arendsoog vermanend. 'Ik heb twee dingen voor ogen ... In de eerste plaats moeten we natuurlijk voorkomen, dat ze er met de kudde vandoor gaan. En in de tweede plaats moeten we Haywood te pakken krijgen. Dat is de man, die het bewijs van mijn onschuld in handen heeft.'

'Als u mij wijzen wie is Haywood, mij zullen pakken bewijs, señor Stanhope,' zei Pablo in zijn gebroken Engels.

Arendsoog glimlachte. 'Dank je, Pablo, maar laat dat gevaarlijke karweitje maar aan ons over.'

Pablo klemde zijn lippen op elkaar. Zo ging het nu altijd met die 'volwassenen' ... Ze vonden je nooit oud genoeg om te laten zien wat je waard was! Hij had er genoeg van en nam zich voor Arendsoog het bewijs te leveren dat hij geen kind meer was!

'O.K., Bob,' zei Harry Winter. 'Zeg maar wat we moeten doen!'

Het tempo van Haywood en zijn mannen lag niet erg hoog. In hoofdzaak lag dat aan Haywood zelf. Hoewel hij als een echte veldheer in het zadel zat, was duidelijk te zien, dat hij niet gewend was lange ritten te maken.

Toen zij het Parkergebergte achter zich lieten, trokken de mannen als bij afspraak hun hoeden dieper over de ogen en haalden de hoedriemen aan. Terwijl zij afdaalden naar de vallei, waarin Mining-Valley en de S-ranch lagen, rukte de wind aan hun kleren. Farn keek Sturdy en Wayburn veelbetekenend aan. Copper scheen gelijk te krijgen ... Klounder kwam naast hem rijden. 'Wat denk je?' vroeg hij fluisterend.

Farn legde een vinger op de lippen. 'Praat niet zo luid en

wacht maar af,' antwoordde hij.

Ze hadden de bodem van de vallei inmiddels bereikt. De wind, die hier volgens Copper negenennegentig van de honderd dagen uit dezelfde richting woei, liet het lange prairiegras golven. In gestrekte draf reden zij verder in zuidelijke richting. Het gras werd groener en minder stug. De bewuste noordelijke weiden konden niet ver meer zijn ...

Farn reed naar voren tot hij naast Haywood was. 'Zeg, je bent toch niet van plan ons recht in de armen van die cowboys te drijven. Ik ben niet bang uitgevallen, maar ik weet uit ervaring dat de wapens van die kerels verdraaid los in hun holsters zitten. Iedereen, die in de buurt van hun stomme koeien komt, zien ze onmiddellijk voor een veedief aan ... Ze schieten eerst en dan vragen ze pas wie je bent en wat je komt doen!'

Haywood, die zijn paard had ingehouden, wilde Farn eerst een grote mond geven, maar toen hij hoorde dat de andere mannen instemmend mompelden, paste hij een andere tactiek toe. Hoewel hij eigenlijk van plan was geweest gewoon naar de cowboys toe te rijden en ze te verrassen, deed hij nu verontwaardigd. 'Je denkt toch niet dat ik idioot ben, is het niet?' snauwde hij. 'Natuurlijk ben ik dat niet van plan.'

'Sorry, boss, ik wil je niet beledigen,' haastte Farn zich sarcastisch. 'Ik kon toch niet weten, dat je ze ook wilde insluiten.'

In stilte bewonderden Sturdy, Klounder en Wayburn hun vriend. Hij scheen er zonder veel moeite in te slagen zijn plannen aan Haywood op te dringen. De vraag was alleen of Haywood iets in de gaten had, of hij argwaan kreeg ... Gelukkig voor de mannen wees niets in die richting. Haywood was afgestegen en maakte een tekening op een open plekje tussen het gras.

'Iets meer naar het zuiden – hoever weet ik niet precies – moet die kudde grazen,' verklaarde hij de strepen die hij in het zand trok. 'Wij verdelen ons hier in twee groepen. De ene groep rijdt langzaam in zuidelijke richting verder. De tweede trekt in een grote boog om de kudde heen. Op mijn teken vallen we de cowboys van twee kanten aan.'

'Welk teken geef je?'

'Drie schoten, snel achtereen,' antwoordde Haywood, die de

rol van 'veldheer' best scheen te bevallen.

'Zal ik met een paar man hier blijven?' zei Farn langs zijn neus weg. 'Ik neem tenminste aan, dat je zelf de leiding neemt van de groep die om de kudde heentrekt ... Jíj zou immers het sein tot de aanval geven en hoe zou je kunnen weten of de tweede groep de plaats van waaruit zij in de aanval moeten gaan al heeft bereikt als je er zelf niet bij bent ...!?'

Haywood voelde zich voor de tweede keer betrapt. Hij wierp Farn een vernietigende blik toe. Tegen de logica van de kerel was echter niets in te brengen. 'Daar had ik al rekening mee gehouden,' zei hij kort. Hij wees vijf mannen aan, de vijf die het dichtst bij hem stonden. 'Jullie gaan met mij mee!' Het was niet zo verwonderlijk, dat Sturdy, Klounder en Wayburn niet aangewezen werden. Zij hadden er wel voor gezorgd op de achtergrond te blijven. En wat Farn betrof ... Haywood was de lastige bemoeial maar wat graag kwijt! Hij voelde er niets voor nog een keer door de man bijna voor schut gezet te worden! 'O.K., Farn, jij neemt de leiding van de mannen die hier blijven. Maar denk er wel aan, dat er niet geschoten wordt voor ik het afgesproken teken geef.'

'Tuurlijk!' antwoordde Farn, plotseling gemaakt onderdanig.

Haywood steeg weer op en even later waren de vijf ruiters in oostelijke richting verdwenen.

Farn en de drie anderen keken ze na tot ze uit het gezicht verdwenen waren. Toen barstten zij in lachen uit. 'Prachtig Farn!' brulde Klounder. 'Het had niet mooier kunnen lopen!'

Farn glom. 'Hij maakte het me wel gemakkelijk,' deed hij bescheiden. 'Trouwens ... Copper had het allemaal voorzien ...'

'Ik vraag me alleen af wat er gebeurd zou zijn als Haywood zelf op de gedachte gekomen was om in tweeën te splitsen,' zei Sturdy.

'Precies hetzelfde,' antwoordde Farn nuchter. 'Ik zou hem dan ook wel zover gekregen hebben, dat hijzelf de leiding van die andere groep op zich nam. En als wij vieren geweigerd hadden met hem mee te gaan, had hij ons wel hier moeten làten of ... hij had het met vier man minder moeten doen!'

Sturdy moest toegeven dat Farn gelijk had. 'En wat doen

we nu?'

'We gaan eerst eens op onderzoek uit. Om aan het tweede gedeelte van Coppers plan te kunnen beginnen, moeten we eerst weten aan welke kant van de kudde de cowboys zich bevinden. Zitten ze ten zuiden van de kudde dan is alles in orde. Is dat niet het geval dan zullen we ze moeten opdrijven vóór Haywood in de aanval gaat ...'

Hoofdstuk 12

De prairie brandt!

'Ik vraag me af waar ze blijven,' zei Arendsoog, die onrustig werd. In een terreinplooi en met een groep struiken als gezichtsdekking hadden zij zich opgesteld. Vanaf deze plaats konden zij zowel de kudde als een groot deel van de weiden overzien. Behalve een enkele trage koe bewoog er niets ... De zon stond hoog aan de hemel en zond haar warme stralen naar de aarde. Het was moeilijk te geloven, dat deze rust slechts schijn was ...

Witte Veder sloot de ogen en drukte een oor tegen de grond. Minutenlang bleef hij zo roerloos liggen. Arendsoog en de anderen durfden nauwelijks adem te halen, bang dat het geluid Witte Veder uit zijn concentratie zou halen.

'Zij komen!' kondigde de Indiaan aan, toen hij weer overeind kwam. 'Mij horen paarden!'

Pablo keek de Indiaan ongelovig aan. Oh, hij had wel eens gehoord, dat Indianen het geluid van een paardehoefslag van zeer grote afstand konden horen, maar hij had het onbewust altijd naar het rijk der fantasie verwezen. Nu werd hij echter met zijn neus op de werkelijkheid gedrukt!

'Enig idee hoe ver ze nog verwijderd zijn, boy?' vroeg Arendsoog.

De Indiaan schudde echter het hoofd. 'Mij denken zij komen van zuiden.'

Uit het zuiden ...!? Arendsoog fronste de wenkbrauwen. Hij had de schurken uit noordelijke richting verwacht. Zouden zij argwaan gekregen hebben?

Achter een heuvel hadden Farn en zijn mannen hun paarden ingehouden en waren afgestegen. Te voet beklommen zij de heuvel dan. Door het hoge gras werden zij aan het oog onttrokken, toen zij op de top van de heuvel de vallei afzochten.

'Kan niet mooier ...' bromde Farn tevreden. 'Waar die cowboys zich bevinden mag Joost weten, maar ze zitten in elk geval niet aan déze kant van de kudde.' Hij had gelijk. De dieren aan de rand van de kudde graasden vlak onder hen, aan de voet van de heuvel. 'Aan het werk, mannen!'

De schurken kropen achteruit en holden de heuvel af. Farn gaf nog een paar bevelen. De paarden werden stevig vastgebonden aan een paar bomen. Toen gingen zij op pad ... Een paar koeien schrokken even, toen de vier mannen plotseling om de heuvel te voorschijn kwamen. Farn had zijn mannen echter op het hart gedrukt zich vooral rustig te gedragen. In gebogen houding liepen zij tussen de dieren door, die voorzichtigheidshalve een paar passen opzij gingen. Omdat de schurken geen onverwachte bewegingen maakten die de koeien aan het schrikken hadden kunnen maken, bleef de kudde rustig. Op Farns aanwijzingen verspreidden zijn mannen zich. Met onderlinge tussenruimten van ongeveer twintig meter trokken zij op in de richting van Arendsoog en Witte Veder. Ze hadden het grootste deel van de kudde achter zich gelaten, toen Farn zijn mannen liet stoppen.

'Nu!'

Het leek wel of de duvel ermee speelde, want op hetzelfde moment klonken snel achter elkaar drie schoten. De mannen van Farn kwamen enigszins overeind uit hun gebogen houding en keken naar Haywood en de anderen, die schietend en schreeuwend in de aanval gingen. Het vuur werd door Arendsoog en zijn vrienden beantwoord.

'Snel!' brulde Farn. 'Opschieten voor het te laat is ...'

Op vier plaatsen tegelijk flikkerden vlammetjes ... Op verschillende plaatsen vatte het gras vlam ... Farn had een dode tak aangestoken en holde als een bezetene tussen de koeien door. Hij hoefde evenals zijn vrienden niet bang te zijn dat hij onder de voet gelopen werd, want de koeien maakten dat zij zo snel mogelijk uit de buurt van het vuur kwamen.

Het was onwaarschijnlijk zo snel als het vuur, dat nu op wel twintig plaatsen was aangestoken, om zich heen greep. Loeiend van angst sloegen de koeien op hol, waarbij een deel van de kudde in noordelijke en een ander deel in zuidelijke richting vluchtte. Een smalle strook brandend gras scheidde de dieren. De wind zorgde er echter voor dat de strook snel breder werd en voor Arendsoog en Witte Veder erin geslaagd waren Haywood in zijn aanval te stoppen, brandde het gras over een breedte van zeker veertig meter.

Toen het tot onze vriend doordrong wat er gebeurde, sloeg de schrik hem om het hart. In een flits zag hij het schrikbeeld van een enorme prairiebrand ... Niet alleen de koeien zouden er het slachtoffer van kunnen worden, maar ook zijzelf en zelfs de ranch liep gevaar.

Arendsoog was echter niet de enige die zich dood schrok. Ook Haywood en zijn mannen deden dit. In paniek vroeg de schurk zich af wat zij nu moesten doen. Het hele plan laten varen en ervandoor gaan? Dat nooit! Eerst moesten de cowboys uitgeschakeld worden! Daarna konden zij altijd nog proberen een deel van de kudde op te jagen en in een grote boog in de richting van het Parkergebergte te drijven. Met woedende kreten spoorde hij zijn mannen aan.

De positie van Arendsoog, Witte Veder en de drie cowboys was hopeloos geworden! Aan de ene kant vielen de mannen van Haywood aan, terwijl achter hen een deel van de kudde naderbij stormde ... En dan waren daar nog de snel oprukkende vlammen ...

Er kwam een verbeten trek om de lippen van onze vriend. Hij begreep drommels goed wat hem te doen stond. Hoe zeer hij er ook naar verlangde de cheque van Sloan, het enige bewijs van zijn onschuld, te pakken te krijgen, hij moest dit voorlopig uit zijn hoofd zetten. Haywood en de schurken moesten op de vlucht gejaagd worden. Daarna zouden zij misschien kunnen voorkomen, dat de brand zich verder uitbreidde ... Gelukkig voor onze vrienden viel de terreinplooi waarin zij zich bevonden juist buiten de 'vluchtbaan' van de kudde. Nauwelijks tien meter verderop stormden de dieren voorbij!

Arendsoog keerde zich om naar Witte Veder om te overleggen. Tot zijn verbazing constateerde hij, dat de Indiaan verdwenen was. Hij richtte zich iets op en zag nog juist hoe Witte Veder zijn paard tussen de vlammen door joeg ... Toen werd hij door de rook aan het oog onttrokken. Hoewel Arendsoog de hulp van zijn vriend op dit moment maar moeilijk kon missen, begreep hij dat Witte Veder een goede reden had gehad om hem alleen te laten! 'Harry, Simon, we gaan in de aanval!' brulde hij boven het lawaai van de knetterende vlammen en de dreunende hoeven van de koeien uit. Hij gaf zelf het voorbeeld en verliet zijn dekking.

Haywood en zijn vrienden hadden hun paarden achtergelaten en dekking gezocht. Ze dachten veilig te zijn ...! Arendsoog was echter vast van plan aan dat gevoel van veiligheid snel een eind te maken. In een razende sprint rende hij naar een oneffenheid in het terrein, vanwaar hij de schurken onder vuur kon nemen. De kogels van Haywood en zijn mannen floten om zijn oren, maar sloegen gelukkig slechts gaten in de lucht! Met een enorme snoekduik sprong Arendsoog achter de dekking. Hij gunde zich geen tijd om op adem te komen, maar opende onmiddellijk het vuur op zijn tegenstanders. Harry Winter en Simon Fraunt lieten zich intussen ook niet onbetuigd. Haywood begon het benauwd te krijgen. Alles liep anders dan hij zich had voorgesteld! Hij werd nu aan twee kanten door de cowboys en aan de derde zijde door het vuur ingesloten. Roowey en de anderen hadden het gevaar ook gezien. Als ze nog een kans wilden hebben moesten ze héél snel zijn ...!

Het leek wel of Arendsoog voelde wat er in de schurken omging, want hij vergrootte zijn vuursnelheid.

'Je kunt me nog meer vertellen,' gromde één van de schurken ziedend. 'Stik maar met je koeien ... Ik ga ervandoor voor het te laat is ...' Hij voegde de daad bij het woord en begon achteruit te sluipen, naar de plaats waar zij de paarden hadden achtergelaten. Toen er één schaap over de dam was, volgden er meer en het duurde niet lang meer voor Haywood erachter kwam, dat hij alleen was ... Schuimbekkend van woede zocht hij dan ook een goed heenkomen.

Toen Arendsoog zag dat de schurken ervandoor gingen, kwam hij overeind. Alsof de duvel hun op de hielen zat joegen zij hun rijdieren over de prairie ...

Met de rug van zijn hand veegde Arendsoog het zweet van zijn voorhoofd. Van de op hol geslagen kudde was geen spoor meer te bekennen, of het zou de grote stofwolk in de verte moeten zijn ...!

Harry, Simon en Pablo kwamen naderbij. Ze wachtten op instructies van Arendsoog. In gedachten verzonken staarde de cowboy naar het vuur, dat steeds verder om zich heen vrat. Hoe konden zij de opmars van de vlammen stuiten? Verschillende struiken en bomen hadden nu ook vlam gevat. Knetterende vonken sprongen soms vele meters ver weg om op de plaats waar ze terecht kwamen een nieuw brandje te veroorzaken. Arendsoogs hersens werkten onder hoogspanning. Ongeveer een mijl meer naar het zuiden liep de Kromme Mankreek ... In deze tijd van het jaar stond daar echter nauwelijks water in. Moesten zij het vuur tot de kreek laten oprukken en het daar proberen te stoppen? Maar veronderstel, dat de vlammen naar de andere oever oversprongen. Die kans zat er dik in! In dat geval zou het gevaar voor de S-ranch wel erg groot worden. Daar kwam nog bij, dat het hem wel aan het hart ging nog een strook vruchtbaar land ter breedte van een mijl door de vlammen te laten verteren ... Toen het echter tot hem doordrong welke omvang de brand al had aangenomen, begreep hij dat hun enige kans bij de kreek lag!

Hij vertelde de twee mannen en de jongen wat hij van plan was. Ook zij zagen geen andere oplossing. Pablo haalde de paarden, die onrustig waren geworden en aan hun leidsels rukten. Gelukkig dat hij ze goed vastgebonden had, bedacht de knaap. Veronderstel dat zij zich van de boom losgerukt hadden en achter de op hol geslagen kudde aangegaan waren!

Toen Farn zag, dat de vlammen hun werk deden, riep hij de mannen bij elkaar. 'Naar de paarden!' commandeerde hij. 'De kudde vlucht in de goede richting. We hoeven niets anders te doen dan ze bij elkaar te drijven en in beweging te houden.' Hij bedoelde natuurlijk het gedeelte van de kudde dat in noordelijke richting stormde. De schurken holden naar hun paarden en stegen op. Als volleerde drijvers joegen zij dan achter de loeiende kudde aan. De rook achter hen maakte het Arendsoog onmogelijk te zien wat er gebeurde!

Hoewel niemand het echter kon zíén, Witte Veder had het begrepen. Toen het tot hem doordrong, dat de brand niet toevallig midden tussen de dieren ontstaan was, nam hij snel een besluit. Er was geen tijd om met Arendsoog te overleggen. Op dit moment kon hij nog tussen de vlammen door komen. Over een paar minuten zou dat wel eens onmogelijk kunnen zijn ...! Hij rende naar zijn paard en slingerde zich in het zadel. En hoewel het dier geschrokken steigerde en angstig hinnikte, joeg hij het tussen de vlammen door. Toen zij ongedeerd uit het rookgordijn te voorschijn kwamen was het eerste wat hij zag de vier schurken die de kudde verder in noordelijke richting opjoegen. Witte Veder hield zijn paard in. Hij had gelijk gehad ... De brand maakte onderdeel uit van een duivels plan ... Hèt plan van Copper, waarmee die zich meester maakte van de kudde. De advocaat had tot werkelijkheid gemaakt wat een kronkel in Haywoods hersens leek te zijn! Copper rekende er natuurlijk op, dat Arendsoog allereerst zijn aandacht zou richten op Haywood. Hij had immers de cheque, die voor Arendsoog zo belangrijk was, in zijn bezit. En plotseling begreep de Indiaan ook waarom Copper niet verontrust was door de gedachte dat Arendsoog Haywood op het spoor was. Hoe was dat gezegde ook al weer, dat Arendsoog wel eens gebruikte? Twee honden vechten om een been ... Arendsoog werd beziggehouden door de brand; Haywood kon fluiten naar zijn koeien en Copper ... was de enige die er beter van werd!

Onwillekeurig schudde de Indiaan het hoofd. Nee, Copper, we zijn er nog niet!

Terwijl hij zoveel mogelijk gebruik maakte van de dekking die het heuvelachtige terrein hem bood, zette hij de achtervolging op de schurken in.

De Kromme Mankreek bleek inderdaad bijna droog te staan. Op sommige plaatsen sijpelde slechts een dun straaltje water over de droge grond. Hier en daar was de bedding over grote stukken begroeid. Wat er groeide was maar een kort leven beschoren. Over anderhalve maand, als de regen van de kreek een riviertje had gemaakt, zouden het gras en de planten spoedig weggespoeld worden. Maar daar hadden onze vrienden nú niets aan!

Aangewakkerd door de wind kwam het vuur snel naderbij. De prairie brandde nu over een breedte van meer dan vierhonderd meter en nog steeds breidde de brand zich uit.

Arendsoog verdeelde de taken. Van een boom braken zij takken af. 'Doe je best, mannen,' zei Arendsoog grimmig. 'Het is erop of eronder ...'

Binnen tien minuten had het vuur de kreek bereikt. Aanvankelijk zag het er inderdaad naar uit, dat het daar een sissende dood zou sterven. Maar het was slechts schijn. Op de een of andere raadselachtige manier vatte het gras op de andere oever op verschillende plaatsen vlam.

'Sla ze uit!' spoorde Arendsoog de anderen aan.

Meer dan een uur werkten de mannen als bezetenen. Het vuur was als een verraderlijk roofdier, dat zich ogenschijnlijk gewonnen gaf, maar je, zodra je het de rug had toegekeerd, weer besprong. Af en toe blies de wind een wolk van vonken over de kreek heen en kwamen onze vrienden handen te kort. Nu eens hier, dan weer daar ontstonden kleine brandjes. Na drie kwartier zag Arendsoog tot zijn voldoening, dat de strijd zo goed als beslecht was. Het was nu nog slechts een kwestie van waakzaam blijven ... De vlammen werden lager en doofden langzaam maar zeker uit.

Juist toen Arendsoog met een triomfantelijk gebaar de rechterduim in de hoogte stak, kondigde een stofwolk in de verte de komst van een groep ruiters aan. Zou Haywood ...

Arendsoog nam het zekere voor het onzekere en beval zijn mannen dekking te zoeken. En hoewel hij niet bang was voor Haywood, slaakte hij toch een zucht van verlichting toen hij bemerkte dat het mannen van de S-ranch waren. Met Jim, de oude maar ook taaie voorman, aan het hoofd stormden ze naderbij.

Onze vrienden kwamen uit hun dekking te voorschijn. 'Jullie hadden een uurtje eerder moeten komen,' zei Arendsoog opgelucht.

'Ann ontdekte dat er brand was op de prairie toen ze boven in het ranchgebouw was,' vertelde Jim. 'Ik heb onmiddellijk zoveel mannen bij elkaar getrommeld als ik kon. Ik zie echter, dat we ons de moeite om hierheen te komen wel hadden kunnen besparen.'

'Nu vergis je je, Jim,' haastte Arendsoog zich. 'Jullie komen als reddende engelen! Harry, Simon en Pablo zijn bekaf en moeten afgelost worden. Ik heb nog een karweitje op te knappen en aangezien de prairie in de gaten gehouden moet worden, zul je een paar man moeten achterlaten! Soms gloeien de vlammen na zo'n prairiebrand nog urenlang onder de grond door en steken dan plotseling op de meest onverwachte plaats hun kop weer op.'

'Natuurlijk komt dat in orde, Bob,' antwoordde Jim. 'Ik maakte maar een grapje. Maar hoe is het met de kudde?'

'Een deel is door de vlammen opgejaagd naar het zuiden. Stuur er maar een paar man achteraan. Ik veronderstel, dat de dieren intussen wel tot rust zijn gekomen. Ik ga zelf achter de dieren aan die in noordelijke richting zijn gevlucht.'

'Heb je geen hulp nodig?' vroeg Jim verwonderd. 'Of zijn er niet veel dieren die kant op gevlucht?'

'Ik weet het niet,' antwoordde Arendsoog. 'Maar ik heb zo'n vermoeden, dat het niet alleen maar een kwestie is van koeien opdrijven ...'

Jim, die zijn baas wel kende na al die jaren, stelde geen vragen meer. 'O.K., Bob. Als je hulp nodig hebt, hoor ik het wel, hè?'

'Afgesproken!' Hij floot Lightfeet en steeg op. 'Doe moeder en Ann mijn groeten,' zei hij, terwijl hij zijn trouwe rijdier op de hals klopte. 'Zeg maar dat ik het prima maak!'

'En hard een bad nodig hebt ...' vulde Jim aan. Arendsoog zag er inderdaad uit als een kolensjouwer. Hij hoorde de opmerking van Jim echter niet meer omdat hij al te ver weg was en maakte zich dan ook helemaal geen zorgen over zijn uiterlijk!

Hoofdstuk 13

Gevecht in het Parkergebergte

In een flinke galop reed Arendsoog over de geblakerde prairie. De scherpe geur van verbrand gras en hout prikkelde zijn neus. Hij kende de lucht van de houtskoolbranderijen ten zuiden van Mining-Valley. De wind speelde met de rook, die op vele plaatsen nog omhoog kringelde. Nee, het was bepaald geen overbodige luxe om een paar wachtposten uit te zetten. Uit ervaring wist hij hoe verraderlijk een prairiebrand kon zijn!

De blussingswerkzaamheden hadden een groot deel van de namiddag in beslag genomen en toen hij het verbrande terrein achter zich liet, lag de zon al op de toppen van de bergen in het westen. Het zou spoedig gaan schemeren en dan was het nog maar een kwestie van een kwartier, twintig minuten voor het donker was. Onwillekeurig zette hij Lightfeet tot grotere spoed aan. Te oordelen naar de sporen, die de dieren achtergelaten hadden, was een vrij grote kudde deze kant op gevlucht.

Meer dan een uur reed hij met dezelfde snelheid verder. Toen hield hij Lightfeet in en steeg af. Ondanks de schemering was het niet moeilijk voor hem de sporen te zien. Er was hem iets opgevallen ... Een paar mijl zuidelijker vertoonden de sporen nog duidelijk het stempel van een in paniek vluchtende kudde. De dieren hadden zich over een brede linie verplaatst, als een ongeorganiseerde troep. Langzaam was er echter verandering in dit beeld gekomen. Het had er alle schijn van dat de koeien bij elkaar gedreven waren! Over een breedte van ongeveer vijftien meter was de grond door honderden poten omgeploegd. Aan weerskanten van deze omwoelde strook was de prairie onberoerd gelaten. Of toch niet ... Hij hurkte neer en onderzocht de grond aandachtig. Toen liep hij naar de andere kant van de strook en deed hetzelfde.

'Dus zo zit het in elkaar,' mompelde hij, terwijl hij weer terugliep naar Lightfeet. In totaal had hij de sporen van vijf paarden geteld ...! Aangenomen dat één van de sporen van Witte Veders rijdier was, dan bleven er vier over ... Arendsoog kon zich wel voor het hoofd slaan, toen het tot hem doordrong hoe de zaak in elkaar zat. Terwijl Haywood hem bezig hield en afleidde, hadden vier andere schurken de prairie in brand gestoken en waren er met een deel van de kudde vandoor gegaan! Arendsoog kon niet weten, dat het helemaal niet in de bedoeling van Haywood had gelegen om hem alleen maar 'af te leiden' en dat de schurk zelf ook tot de 'slachtoffers' gerekend kon worden!

'Kom aan, jongen,' bromde Arendsoog, terwijl hij Lightfeet op de hals klopte. 'We zullen die veedieven eens een flink lesje geven!'

Witte Veder had er wel voor gezorgd dat er tussen hem en de vier schurken een flinke afstand bleef. Hij hoefde niet bang te zijn voor ontdekking, want de enorme stofwolk die door de voortstormende kudde werd opgeworpen, onttrok hem aan het oog. Af en toe hield hij zijn paard even in en keek achterom. Vergiste hij zich of werd de rook in de verte minder? Zouden Arendsoog en de andere mannen erin geslaagd zijn de brand te bedwingen?

Tegen een uur of zes bereikte de kudde het Parkergebergte. Zonder gevaar kon de Indiaan de afstand nu wat verkleinen. De bedoeling van de schurken was de kudde naar de Black Triangle te jagen. De kortste weg daarheen leidde over de Rurdon-pas. Het Parkergebergte, dat de vallei van Preston en die van Mining-Valley van elkaar scheidde, was niet erg breed, maar telde toch een paar hoge ruggen. Over de hoogste daarvan kon men slechts heen komen via de Rurdon-pas.

Het tempo waarin de kudde zich verplaatste lag nu aanmerkelijk lager dan op de prairie. Witte Veder zat zo dicht achter de schurken, dat hij het loeien van het vee kon horen. Nog ongeveer twintig minuten reed hij, bijna stapvoets, door. Toen gaf hij zijn paard plotseling de sporen en joeg het dier een zijdal in. Hij had het plan, dat zich in zijn geest gevormd had, van alle kanten bekeken. Hij was tot de conclusie gekomen, dat er geen andere mogelijkheid was om te voorkomen dat de schurken hun doel zouden bereiken!

In een levensgevaarlijke galop joeg hij tussen de bergen door. Hij kende het Parkergebergte als zijn eigen zadeltassen en wist dat het dal waarin hij nu reed ongeveer anderhalve mijl verderop door een vrij brede kloof verbonden werd met het dal waarin de kudde zich verplaatste. Dáár moest hij zijn slag slaan ...!

Het schemerde al tussen de bergen. In de schaduw van de hoge toppen daalde de temperatuur met sprongen. Een uurtje geleden was het op deze zelfde plaats nog erg warm geweest; nú was de temperatuur al niet meer aangenaam te noemen. Witte Veder boog zich over de hals van zijn paard en deed er nog een schepje op. Toen hij door de kloof het andere dal weer bereikt had, hadden de leiders van de kudde die plaats nog niet bereikt.

Verscholen achter een paar rotsblokken wachtte de Indiaan af. De minuten leken voorbij te kruipen ... Plotseling kreeg hij de voorste dieren in de gaten. Op hetzelfde moment schrok hij ... De schurken waren maar met vier man en zouden het druk hebben om de kudde bij elkaar te houden en te voorkomen dat enkele dieren afdwaalden. Hij had er dan ook niet op gerekend dat een van de schurken aan het hoofd van de kudde zou rijden. Enfin, zo lagen de zaken nu eenmaal ... Hij steeg af en beklom een rotsblok. Hij zou snel moeten handelen, want de eerste dieren liepen nauwelijks vijftien meter achter de ruiter ...

Als een tijger, die zich gereed maakt om zijn prooi te bespringen, dook de Indiaan in elkaar. Hij schatte de afstand. Nog een paar meter ...

Nu ...!

De ruiter bleef stijf van schrik toen de Indiaan omlaag dook ... In een flits zag hij visioenen van verscheurende dieren ... Hij wilde schreeuwen, zijn wapens grijpen ... Op hetzelfde moment werd hij echter uit het zadel gelicht en kwam hij met een dreunende klap op de grond terecht. Witte Veder haalde uit om de schurk met een stevige klap onschadelijk te maken, maar het was niet meer nodig. De schurk was al buiten gevecht gesteld. De Indiaan had geen seconde meer te verliezen. De voorste dieren waren al vlakbij de kloof ... Met een enorme sprong zat hij in het zadel en reed de kudde tegemoet ...

Er gebeurde wat hij had verwacht. De voortsukkelende dieren schrokken van de man, die plotseling uit het duister opdoemde en hielden in. Achter hen bleef de kudde echter oprukken en of zij wilden of niet, werden ze vooruit geduwd. Witte Veder liet zijn paard steigeren ... De koeien loeiden en weken uit ... Ja, daar ging het eerste dier de kloof al in! Een tweede volgde en spoedig gingen de anderen erachteraan.

Witte Veder wachtte tot enkele tientallen dieren in het donker van de kloof verdwenen waren. Toen leidde hij zijn paard rustig tussen het vee. Als zijn rijdier nu maar geen onverwachte bewegingen maakte ... Als de koeien hier zouden schrikken en in paniek raken ... Witte Veder wilde er niet aan denken. Hij slaakte een zucht van verlichting, toen hij het andere dal bereikte.

Intussen hadden de drie schurken de plaats bereikt waar hun collega roerloos op de grond lag.

Farn vloekte hartgrondig en stortte een hele reeks verwensingen uit over het hoofd van de bewusteloze Wayburn.

'Misschien kan hij het helemaal niet helpen,' onderbrak Sturdy hem. 'Hij kan wel door een vallende steen getroffen zijn!'

Farn zweeg middenin een groffe vloek.

'Wat doen we nu?' vroeg Klounder. 'Moeten we Wayburn ...'

'Laat hem voorlopig liggen,' snauwde Farn. 'We moeten eerst het vee weer in het goede spoor krijgen ... Kom mee, mannen ...'

Er volgde een kwartiertje, waarin de situatie bepaald komisch was. Wanhopig probeerden de schurken de koeien, die nog aan deze kant van de kloof waren, tegen te houden. Als zij er na veel moeite in geslaagd waren twee of drie dieren terug te jagen, schoten vijf, zes anderen langs de schurken heen de kloof in. Het leek wel of zij in het kielzog van de leiders van de kudde werden meegezogen. Het was nu duidelijk te zien, dat de schurken op dit gebied niet veel ervaring hadden. Een geroutineerde drijver zou geweten hebben dat het keren van een gedeelte van een kudde in een situatie als hier ongeveer hetzelfde was als het water van de Rio Grande tegen een berg op te laten stromen!

Eindelijk echter drong het tot Farn door, dat zij hun tijd en energie verspilden. 'We moeten de leiders van de kudde te pakken krijgen!' riep hij naar zijn vrienden. 'Die moeten we in een andere richting dwingen!'

De anderen waren het met hem eens en achter elkaar reden zij nu de kloof binnen.

Met heel veel moeite was Witte Veder erin geslaagd de leiders van de kudde wat op te jagen. In een gezapig sukkeldrafje liepen de dieren nu terug in zuidelijke richting. Zou hij erin slagen de prairie te bereiken vóór de schurken hem hadden ingehaald ...

Lightfeet was onvermoeibaar! Zonder ook maar een ogenblik snelheid te minderen joeg het prachtige dier over de prairie. Aan de afdrukken van de hoeven had Arendsoog gezien, dat de snelheid waarmee de kudde zich verplaatste niet erg groot meer was. Het kon niet lang meer duren voor hij haar had ingehaald.

Zelfs in de bergen was Lightfeet nauwelijks te vermoeien. Arendsoog zou met een ander paard nooit aan een dergelijke snelheid gedacht hebben. Lightfeet vertrouwde hij echter blindelings. Feilloos vermeed het dier elk obstakel. Het was intussen gaan schemeren.

Plotseling hield hij Lightfeet in. Vergiste hij zich of kon hij inderdaad het loeien van de koeien horen?! Hij hield een hand achter zijn oorschelp en luisterde gespannen. Er verschenen rimpels in zijn voorhoofd. Er klopte iets niet ... In plaats van zwakker te worden, nam het geluid in sterkte toe! Dat kon maar één ding betekenen, begreep hij. De kudde reed niet langer van hem vandaan, maar kwam integendeel zijn kant uit. Het raadsel werd spoedig opgelost.

Een kleine honderd meter verderop kwamen drie of vier koeien het dal in. Ze werden gevolgd door de gehele kudde ... En toen zag Arendsoog zijn Indiaanse vriend.

Witte Veder gunde zich geen tijd Arendsoog uitgebreid te begroeten. 'Schurken komen achter ons,' zei hij kort.

'Hoeveel?'

'Drie mannen.'

Arendsoog dacht even na. 'Laat de koeien maar gaan, boy,' zei hij dan. 'Ze kunnen toch maar één kant op en komen vanzelf in de prairie.' Hij had gelijk. Van de rand van het gebergte tot de plaats waar zij zich nu bevonden, kwam geen enkel zijdal op dit dal uit. 'Kom, boy, we zullen die heren een warm onthaal geven!'

Een vooruitstekende rotspunt onttrok onze vrienden aan het oog, terwijl zij de komst van het edele drietal afwachtten. Traag schoven de koeieruggen aan hen voorbij.

'Weet je wel zeker dat ze achter je aan ...' begon Arendsoog fluisterend.

De waarschuwende hand van Witte Veder op zijn arm deed hem zwijgen. Bijna op hetzelfde moment verschenen de drie mannen in hun gezichtsveld. Op een afstand van minder dan vier meter passeerden ze de plaats waar Arendsoog en Witte Veder stonden.

'Hands up!' klonk Arendsoogs stem toen.

De drie schurken schrokken zich dood. In een reactie hielden ze tegelijk hun rijdieren in.

'Hands up, zei ik!' baste Arendsoog. 'En snel! Mijn vingers zijn erg gespannen ...'

De schurken kozen eieren voor hun geld en deden hun handen in de hoogte.

Arendsoog gaf Witte Veder een wenk. 'Ontwapen jij ze even?'

Witte Veder leidde zijn paard achter de rotspunt vandaan. Een paar koeien schrokken van het paard en de ruiter en maakten een onverwachte beweging. Heel even was het een beetje 'rommelig' in de gelederen van de koeien. Er gebeurde niets ernstigs, maar toch richtten alle aanwezigen onwillekeurig hun aandacht op de dieren. Ook Arendsoog ... Een onderdeel van een seconde keek hij naar zijn Indiaanse vriend ...

Het moet gezegd worden, dat Farn razendsnel reageerde.

Als een kat dook hij uit het zadel tussen de koeien.

PANG! PANG!

De kogels vlogen achter Arendsoog tegen de rotswand. Splinters steen sprongen in zijn nek. Witte Veder had zijn paard de sporen gegeven en bevond zich nu op de plaats waar Farn tussen de dieren verdwenen was. Het was niet moeilijk de plaats te bepalen waar de schurk zich bevond. De Indiaan hoefde alleen maar te kijken wáár de koeien onrustiger waren dan de andere!

De twee andere schurken zagen hun hoop om ook te ontkomen de bodem in geslagen, toen Arendsoog vlak achter hen zei: 'Eén is voldoende. Laat je armen zakken en gooi je wapens op de grond ... Snel!'

Sturdy en Klounder wisten niet beter te doen dan te gehoorzamen.

PANG! PANG! PANG!

Farn, die wist dat hij ontdekt was, vuurde als een bezetene in de richting van de Indiaan. Witte Veder ontkwam alleen maar aan een wisse dood, omdat hij zich snel uit het zadel had laten zakken. Terwijl hij gebukt tussen de koeien door sloop, telde hij de schoten. Het leek hem erg onwaarschijnlijk dat Farn in de chaos van de nu kris-kras door elkaar lopende koeien zijn wapens zou kunnen bijladen. Als hij daarvan uitging had Farn nog maar één patroon ...

Heel langzaam kwam de Indiaan iets overeind ...

PANG! Klik ...

De kogel scheerde over de koeieruggen, maar richtte geen schade aan. Belangrijker voor Witte Veder was echter het geluid, dat hij na het afgaan van het schot had gehoord. Een korte, droge klik ... Farn had geen munitie meer! Snel als een kat sloop de Indiaan tussen de koeien door. Eén van de dieren schrok zo erg van de Indiaan dat het wild begon te springen en het scheelde maar een haar of Witte Veder was onder de hoeven van het dier terecht gekomen.

Van zijn plaats op Lightfeets rug kon Arendsoog zien waar Farn zich bevond. 'Naar links,' leidde hij zijn Indiaanse vriend. 'Rechts ... Recht vooruit ...'

Farn begreep wat de woorden van de cowboy betekenden. Hij

probeerde verwarring te stichten door nu eens naar links, dan weer naar rechts te sluipen. Arendsoog liet zich echter niet in verwarring brengen. Farn raakte in paniek. Hij moest zijn tegenstander uit de weg blijven ... Onwillekeurig ging hij ook naar Arendsoogs stem luisteren. Hij stond echter met zijn gezicht naar Arendsoog gekeerd en wat voor Arendsoog links was, was voor hém dus rechts. En dat vergat de schurk ... Toen Arendsoog Witte Veder de aanwijzing 'naar links' gaf, sloop Farn haastig naar rechts. Rechts ... voor hèm! Voor Witte Veder en Arendsoog was dit echter links ... Toen Farn dan ook meende weer even veilig te zijn, stond hij plotseling oog in oog met de Indiaan. Hij kreeg niet veel kans bij Witte Veder ... De rechtervuist van de Indiaan raakte hem tegen de kin en het mag een wonder heten, dat hij niet meteen neer ging. Tollend op zijn benen dook hij naar voren ... Witte Veder sprong opzij en plantte zijn vuist in de maagstreek van de schurk.

Het was een bizar gezicht, de twee vechtende mannen tussen de voorbij trekkende kudde! Het leek wel of de koeien eerbiedig ruimte maakten, want ze liepen in een grote boog om het tweetal heen. Farn lag nu op zijn rug op de grond en probeerde de Indiaan van het lijf te houden door met de benen in de lucht te maaien. Witte Veder keek echter wel uit. Een trap van de laarzen van Farn kon gemeen aankomen! Als een hert zo vlug en lenig danste hij om de man heen. Farn probeerde door mee te draaien de Indiaan vóór zich te houden.

Witte Veder wipte op en sprong over de schurk heen. Of nee ... Wat speelde de Indiaan het knap. Zijn sprong was slechts een schijnbeweging geweest. Farn trapte er in ... Snel draaide hij zich een halve slag om ... Toen hij tot de ontdekking kwam, dat de Indiaan nog steeds achter hem stond, was het te laat ...

Met een snelle duik zat Witte Veder bovenop hem. Farn trapte en sloeg als een bezetene, maar de Indiaan liet zijn prooi nu niet meer los. Weer haalde hij uit ... Deze keer liet hij Farn geen schijn van kans. De schurk bleef roerloos liggen. Hij was knock out!

Witte Veder krabbelde overeind. Hij was ook niet helemaal ongehavend uit de strijd te voorschijn gekomen. Hij bloedde uit een wond bij zijn mond. Er was echter nu geen tijd om aandacht te schenken aan zo'n kleinigheid, vond hij. Hij tilde de schurk op en droeg hem tussen de koeien door naar Arendsoog en de andere schurken. Sturdy en Klounder hadden met ingehouden adem het gevecht gevolgd. Toen Witte Veder gewonnen bleek te hebben, vloekten ze woedend. Daar ging hun laatste kans!

Terwijl Witte Veder de mannen onder schot hield, bond Arendsoog hun benen onder de buik van hun rijdier aan elkaar vast. Daarna werd Farn over het zadel van zijn paard gelegd en werden zijn armen aan zijn benen vastgebonden.

'Mij zullen gaan halen andere schurk,' zei Witte Veder, toen het karweitje geklaard was.

Arendsoog, die zich al enige tijd had afgevraagd waar de man gebleven was, die het vierde paar sporen veroorzaakt had, keek vragend. In enkele woorden vertelde Witte Veder dan hoe hij erin geslaagd was de kudde in de omgekeerde richting te drijven.

'O.K., boy. Ik wacht hier op je,' zei Arendsoog, toen de Indiaan zweeg.

Witte Veder steeg op en verdween in de duisternis. Een minuut of twintig later was hij weer terug ... zonder Wayburn! Toen hij op de bewuste plek was aangekomen, bleek de vogel gevlogen te zijn.

'Hij zal toen hij bijkwam de schoten van die ander gehoord hebben,' veronderstelde Arendsoog. 'Hij heeft eieren voor zijn geld gekozen en is ervandoor gegaan.'

Witte Veder knikte bevestigend. In het donker had hij niet veel sporen kunnen zien, maar wàt hij zag wees in de richting van de Rurdonpas en dus ... in de richting van Preston.

Arendsoog haalde de schouders op. 'Het voornaamste is dat we de kudde terughebben, boy. Die knaap ontloopt zijn straf toch niet. Vroeg of laat loopt hij tegen de lamp! Laten wij maar naar de S-ranch gaan ... We hebben daar plaats voldoende om deze heren tijdelijk logies te verlenen.'

Achter de kudde aan reden zij het Parkergebergte uit en de prairie op. Een mijl zuidelijker waren de leiders van de kudde, die nu niet meer opgejaagd werden, tot stilstand gekomen.

'Laat ze maar,' zei Arendsoog. 'Die arme dieren hebben vandaag al meer dan genoeg gehold. Ik zal wel een paar man hierheen sturen, die ze morgenochtend kunnen opdrijven.'

Witte Veder was het roerend met hem eens, dat dit de beste oplossing was en dus vervolgden zij hun tocht naar de S-ranch.

Hoofdstuk 14

Pablo

Toen zij de verbrande strook achter zich gelaten hadden, bleek dat de mannen van Jim de andere helft van de kudde alweer teruggedreven hadden. Omdat ook de prairie in de gaten gehouden moest worden had de oude voorman acht cowboys achtergelaten. Arendsoog koos er vier uit en vertelde hun wat zij moesten doen.

'De schade valt achteraf nogal mee,' zei hij tegen Witte Veder, toen de cowboys vertrokken waren. 'We hebben het vee terug en de brand is bedwongen. En dat allemaal zonder dat er iemand gewond werd!'

Op de S-ranch was nog niemand naar bed, toen onze vrienden en hun gevangenen aankwamen. Arendsoog hoefde Jim nauwelijks op het hart te drukken de drie schurken goed in de gaten te houden. De voorman die verknocht was aan de S-ranch, zag de brandstichting als een persoonlijke 'belediging' ... Die belediging zou pas gewroken zijn als de schurken aan de sheriff waren overgeleverd!

Er was natuurlijk een heleboel te bepraten. Terwijl mrs. Stanhope in de keuken nog gauw iets te eten maakte voor de twee uitgehongerde vrienden, vertelde Ann dat MacGlan de vorige dag naar Dorwan vertrokken was. Hij had niet gezegd waarom.

Met een blad vol eten kwam mrs. Stanhope de woonkamer binnen. 'Jullie blijven vannacht hier, hè?' zei ze. 'Jullie zien er allebei uit of een bad jullie geen kwaad zal doen en ik weet zeker dat jullie ook geen bezwaar zullen hebben tegen een schoon bed.'

Arendsoog glimlachte. Zijn moeder moest eens weten! Een stevige maaltijd, een bad en een schoon bed ... Het leken op dit moment de drie mooiste dingen op de wereld! 'O.K., moeder. Laten we dat maar doen. Morgenvroeg gaan we dan achter Haywood aan. Ik vermoed dat we hem vroeg of laat bij die Copper in Preston terug zullen zien ...'

De kamerdeur ging open en Jim kwam binnen. Het gezicht van de voorman stond ernstig.

'Wat is er?' vroeg Arendsoog geschrokken. 'Vertel me niet dat die drie schurken ontsnapt zijn ...'

Jim schudde het hoofd en Arendsoog slaakte een zucht van verlichting. 'Erger, Bob ... Die Mexicaanse knaap, die vanmiddag op de noordelijke weiden was ...'

'Pablo?'

'Ja, Pablo ... Hij is verdwenen ...'

'Verdwenen!?' riep Arendsoog uit, terwijl hij opsprong.

'Ja. Hij heeft vanavond bij de andere cowboys hele verhalen verteld over hetgeen vanmiddag gebeurde. Tijdens die gesprekken schijnt hij meermalen gezegd te hebben, dat hij die Haywood voor jou te pakken zou krijgen ...'

Arendsoog schudde het hoofd. 'En?'

Jim gaf hem een vodje papier. 'Dit vond een van de mannen op zijn brits ...'

> Ik gaan achterna Haywood om te
> vangen papier belangrijk voor
> señor Stanhope.
>
> Pablo

Het kostte Arendsoog moeite de hanepoten te ontcijferen. Het slechte Engels was voldoende bewijs, dat Pablo en niemand anders het briefje geschreven had. In gedachten verzonken legde Arendsoog het papiertje op tafel. 'Uw bed zal voorlopig schoon blijven, moeder,' zei hij dan. 'We moeten die drommelse kwajongen zien in te halen voor hij domme dingen doet.'

Mrs. Stanhope zei niets, maar zuchtte slechts. Ze wist dat het geen zin had te proberen haar zoon tegen te houden. Trouwens ... ze was het roerend met hem eens, dat ze de jongen niet zijn gang konden laten gaan. Hij liep blindelings het gevaar tegemoet!

Arendsoog liep naar buiten om zich bij de pomp een beetje op te frissen. Zijn moeder maakte intussen haastig nog wat eten klaar om mee te nemen. Vijf minuten later verlieten onze vrienden de ranch weer ... Het was me het dagje wel en er scheen voorlopig nog geen einde aan te komen!

De sporen, die Witte Veder spoedig vond, wezen uit dat de knaap in westelijke richting gereden was.

'Dat klopt wel,' zei Arendsoog. 'Toen we op de noordelijke weiden waren zag hij, dat Haywood en de anderen in zuidwestelijke richting vluchtten. De ranch ligt al zuidelijker en hij hoefde dus alleen maar naar het westen te rijden om ergens het spoor van de schurken te kruisen.'

'Jij denken hij kunnen lezen sporen?' vroeg Witte Veder ongelovig.

Arendsoog haalde de schouders op. 'Ik weet het niet. Maar misschien denkt hij zelf dat hij het kan ...'

Zwijgend reden zij een dik uur verder. Toen hield Witte Veder in en steeg af. Het spoor van Pablo kruiste hier inderdaad een aantal andere sporen ... En kijk ... daar was de knaap naar het noorden afgebogen ...!

Naar het noorden! Arendsoog steeg ook af. Ja, de sporen van het groepje paarden en het spoor van Pablo wezen in noordelijke richting ...

'Als dit de sporen van Haywood en zijn mannen zijn, ziet het er niet zo mooi uit,' mompelde Arendsoog. 'Maar ik vraag me af waarom ze in nóórdelijke richting wijzen ...'

'Jij zelf zeggen jij denken Haywood gaan terug vroeg of laat naar Preston.'

Arendsoog knikte. 'Dan zijn ze naar het zuiden gevlucht. Hebben ergens gewacht tot de rust was weergekeerd om daarna, waarschijnlijk met de duisternis als dekking, weer in noordelijke richting terug te rijden ...'

'En Pablo gaan achter Haywood,' vulde Witte Veder aan.

Arendsoog keek zijn vriend strak aan. Maakte de Indiaan zich net zoveel zorgen als hij? 'Kom, boy, laten we opschieten voor het te laat is ...'

Met kloppend hart volgde Pablo het spoor, dat hij gevonden had. Hij twijfelde er geen seconde aan of hij wel het goede spoor te pakken had. Hij wilde zichzelf niet bekennen, dat hij de eenzame tocht in het donker maar griezelig vond. Maar hij verried zijn angst toen een konijn plotseling uit de struiken te voorschijn kwam en vlak voor zijn paard langs rende.

'Madre de Dios,' mompelde hij geschrokken. De teugels waren uit zijn handen gegleden en hij viel bijna uit het zadel.

Wat was er intussen met Haywood, Roowey en de anderen gebeurd? Toen de schurken, na door Arendsoog uit hun dekking te zijn verdreven, hun paarden bereikt hadden, slingerden ze zich in het zadel en gingen er zo snel als ze konden vandoor. Ze letten niet op elkaar en ieder dacht slechts aan zichzelf ... Haywood, die zich maar met moeite bij zijn nederlaag kon neerleggen, vluchtte als laatste. Toen hij opgestegen was, waren Roowey en de anderen al achter de heuvels verdwenen. Hij vloekte en drukte de sporen in de flanken van zijn paard. Het arme dier vloog vooruit. Het ging Haywood echter nog lang niet snel genoeg en met het uiteinde van de teugels joeg hij het dier nog meer op.

Het was vreemd: hoewel de mannen aanvankelijk in verschillende richtingen vluchtten, werden zij na verloop van tijd als het ware naar elkaar toe getrokken! Begon het tot hen door te dringen, dat zij alléén tegen eventuele achtervolgers niet veel kans hadden en dat zij als groep niet bij voorbaat kansloos waren? Een feit is in elk geval, dat Haywood spoedig drie van de vier mannen weer bij zich had. Alleen Roowey ontbrak nog. Haywood haalde de schouders op. Wat hem betrof mocht Roowey weg blijven. De kerel had zijn werk gedaan. Hij had hem niet meer nodig. Toen Roowey zich enige tijd later toch weer bij het groepje voegde, werd hij door Haywood dan ook nauwelijks begroet.

Vijf, zes mijl reden de schurken verder. Toen hielden zij hun rijdieren in. Achter hen hing nog steeds een rookgordijn. Van achtervolgers was geen spoor te bekennen.

'Ze hebben hun handen vol om die prairiebrand te bedwingen,' veronderstelde Haywood. 'Ik denk dat we zonder gevaar om het brandende deel van de prairie heen kunnen rijden om ons bij de anderen te voegen.'

'Je kunt mij nog meer vertellen,' snauwde een van de mannen. 'Ik heb er voorlopig mijn buik van vol!'

De anderen waren het met hem eens en Haywood begreep, dat hij alleen stond. 'O.K., dan wachten we tot het donker is,' gaf hij toe. Ze maakten het zich gemakkelijk onder een groep bomen, die hun voldoende gezichtsdekking bood.

De tijd verstreek ... Twee van de schurken waren in slaap gesukkeld. Haywood zat met de rug tegen een boom voor zich uit te staren. De prairiebrand liet hem niet los ... Hij kon zich niet indenken, dat hij aangestoken was door Arendsoog en zijn cowboys. En aangezien koeien geen vuur kunnen maken, bleven alleen Farn en zijn vrienden over ...! Zouden zij ... Hoe langer hij erover nadacht hoe meer hij ervan overtuigd raakte, dat de anderen een dubbelrol hadden gespeeld. Daarom was de brand midden tussen de kudde begonnen ... Plotseling drong het tot hem door, dat een groot aantal dieren niet in zuidelijke richting had kunnen vluchten. Ineens was het hem allemaal duidelijk. Hier moest Copper achter gezeten hebben! Hij twijfelde er geen seconde meer aan, dat Farn en zijn vrienden op ditzelfde moment met de helft van de kudde onderweg waren naar de Black Triangle. Woedend greep hij een tak en brak hem alsof het een lucifer was. Copper had zíjn plan overgenomen ...! Hij had de advocaat nooit mogen vertrouwen. Als het aan hem gelegen had, zouden hij, Roowey en de anderen nu goed de sigaar zijn geweest ... Hij dacht aan het brandmerk en sprong haastig op en liep naar zijn paard. Met een tevreden grijns constateerde hij, dat het ijzer nog steeds in de tassen zat. Hij kon niet weten, dat Copper de dag tevoren al een ander brandmerk had laten maken ... Hij riep zijn mannen bij elkaar en vertelde hun wat hij had bedacht. Zijn acteertalent kwam hem goed van pas en hij slaagde er zonder veel moeite in de mannen ervan te overtuigen dat zij door Farn en de anderen verraden waren. 'Het is wel toevallig dat het juist de kerels zijn, die gisteravond zo nodig nog even moesten blijven toen wij het huis van Copper verlieten,' besloot hij.

Dit argument gaf de doorslag. 'Dat had Copper gedroomd,' bromde een van de mannen. 'Laten we gaan, Haywood ... Ik wil mijn deel van de opbrengst niet graag mislopen!'

Haywood kon weer glimlachen. Zouden de zaken eindelijk een keer ten goede nemen? Het was al bijna donker toen de schurken opstegen en in een flinke draf terugreden in de richting van waaruit zij gekomen waren. Ze hadden nog een lange rit voor de boeg en wilden de paarden niet tot het uiterste opjagen ...

Ze hadden zeker al een uur gereden, toen Roowey zijn paard naast Haywood leidde. 'Ik geloof, dat we gevolgd worden, boss ...'

Haywood hield zijn paard met een ruk in en wendde het. Ondanks de duisternis was de ruiter in de verte duidelijk te zien. De maan, die de prairie bescheen, tekende het silhouet van de man scherp af. Haywood nam geen risico. Misschien was de ruiter een toevallige voorbijganger, maar de kans bestond ook dat Arendsoog hun achterna gegaan was. 'Snel, achter die struiken,' commandeerde hij.

Doodstil wachtten de mannen af. De ruiter kwam snel naderbij. Hij was nog maar enkele tientallen meters van de schurken verwijderd, toen Haywood zekerheid had, dat hij hun sporen volgde. Op de plaats waar zij scherp naar rechts gezwenkt waren om dekking te zoeken achter de struiken, hield hij zijn paard even in. Toen wendde hij het ook naar rechts. Hij was nu al zo dichtbij, dat Haywood zag met een jongen te doen te hebben ... Wat betekende dit ...? Was het een valstrik ...?

Aan de andere kant van de struiken hield de jongen zijn paard in. Hij scheen te overdenken wat hij nu moest doen. Plotseling hinnikte Rooweys paard ... De jongen schrok zich dood en greep de revolver die hij tussen zijn broekriem gestoken had.

'Wie zijn daar?'

Haywood grinnikte. Ze hadden zich de schrik op het lijf laten jagen door een kind! Hij leidde zijn paard om de struiken heen.

'Wat doe je hier, jongen. Je hoort ...' Hij zweeg toen hij de revolver in de handen van de knaap zag.

'U zijn señor Haywood?'

'Doe die revolver weg. Het is geen speelgoed!'

'U zijn señor Haywood?' herhaalde Pablo met trillende stem van opwinding.

'Ja! Wat moet je?' snauwde Haywood nu. Hij wist met de situatie niet goed raad. Aan de ene kant was hij niet van plan zich voor schut te laten zetten door de eerste de beste snotjongen; aan de andere kant was daar die revolver ... De afstand tussen hem en de Mexicaanse jongen was zo klein, dat zelfs de slechtste schutter niet zou kunnen missen.

'U mij geven papier voor señor Stanhope,' zei Pablo. 'Anders mij zullen moeten schieten.' Hij probeerde wanhopig zijn angst te verbergen. Hij móést en zóú nu eindelijk eens bewijzen, dat hij geen klein kind meer was! De gedachte dat Arendsoog hem straks tevreden op de schouders zou kloppen gaf hem weer moed. 'Señor Haywood mij geven papier nú!'

Haywood hoorde de anderen achter de struiken gniffelen. 'Zeg, hoor eens, jongen ...'

'Ik zeggen señor geven papier,' onderbrak Pablo hem.

Haywood voelde zich allesbehalve gelukkig. Hoe kwam hij van de knaap af zonder zijn gezicht te verliezen. 'O.K.,' zei hij dan, alsof hij zich neergelegd had bij zijn nederlaag. Hij stak een hand in zijn zak en haalde de cheque van Sloan te voorschijn. 'Hier ...!' Hij kwam langzaam naderbij, de cheque in de uitgestoken hand.

Arme Pablo liep blindelings in de val ... Hij stak ook een hand uit om de cheque aan te pakken ... Hun handen naderden elkaar ... Plotseling liet Haywood de cheque vallen en greep de pols van de jongen. Pablo voelde dat hij uit de zadel gesleurd werd ... Hij liet de revolver los om de teugels te kunnen grijpen ... Hij kon echter niet meer voorkomen, dat hij een prachtige tuimeling maakte.

Toen hij met een pijnlijke arm overeind krabbelde, keek hij in de loop van Haywoods revolver. 'Pak die cheque voor me op!' snauwde de schurk.

Pablo haastte zich het bevel op te volgen.

'Opstijgen!' commandeerde Haywood.

Toen Pablo, bleek van schrik, weer in het zadel zat, kwam Haywood naderbij en onderzocht hem op wapens. 'Je mag blij zijn, dat ik niet veel tijd heb. Anders zou ik je zo stevig vastbinden, dat je met geen mogelijkheid meer van je paard kunt vallen!' gromde hij.

De anderen kwamen nu weer te voorschijn en de tocht werd voortgezet. Pablo reed naast Haywood en werd door de schurk in de gaten gehouden. Het liefst zou Haywood zich zo gauw mogelijk van zijn gevangene ontdaan hebben, maar gelukkig voor Pablo stuitte deze gedachte zelfs de gewetenloze schurk tegen de borst.

Bij de struiken hield Witte Veder zijn paard in. Hij wees naar de grond. Arendsoog steeg af en pakte de revolver die Pablo had laten vallen. Hij bekeek hem aandachtig. In de kolf waren twee letters gebrand: M.P.

'Als ik me niet vergis is dit de revolver van Mike Pursing,' zei Arendsoog in gedachten. 'Pablo moet hem weggenomen hebben ...'

Witte Veder was ook afgestegen en onderzocht de sporen. 'Schurken Pablo opwachten achter struiken,' rapporteerde hij zijn conclusies.

'De knaap heeft natuurlijk geen schijn van kans gehad,' mompelde de cowboy, terwijl hij de revolver in zijn zadeltas stopte. Hoewel er in de naaste omgeving geen huls te bekennen was, hetgeen er op wees dat er niet geschoten was, voelde hij zich toch niet erg gerust. 'Haywood is tot alles in staat,' zei hij. 'Je weet dat hij er zijn hand niet voor omdraaide om Handell te vermoorden om mij erin te laten lopen ... En later Sloan ...' Hij kreeg plotseling haast. 'Laten we verder gaan, boy. Misschien is het nog niet te laat ...'

Het was al een uur of drie in de nacht, toen zij het Parkergebergte achter zich lieten en in de vallei van Preston afdaalden. Het verwonderde onze vrienden in het geheel niet toen zij ontdekten dat de sporen van de schurken regelrecht naar de Black Triangle leidden. Een paar honderd meter voor de ranch stegen zij af en gingen te voet verder. Er brandde nog licht in het ranchgebouw.

Zonder ook maar het geringste geluid te maken slopen zij langs de corral, waarin een stuk of tien paarden stonden. Onder het verlichte raam van het ranchgebouw bleven zij op hun hurken zitten. Het geluid van ruziënde stemmen drong tot hen door.

Toen Haywood en zijn mannen die morgen de Black Triangle verlaten hadden, was Copper grijnzend achtergebleven. Hij klopte de rancher op de schouder. 'Vanavond heb je één van de grootste en beste kuddes uit de hele vallei, Slimy!' zei hij tevreden.

De rancher was wat pessimistischer. 'Ik geef toe, dat het een goed plan is. Maar wat doe ik als er iemand in de buurt komt vóór de dieren opnieuw gebrandmerkt zijn? Hoe kan ik verantwoorden dat ik in het bezit ben van koeien met een S als brandmerk?'

'Praat met Copper en het komt in orde,' lachte de advocaat. 'Daar heb ik al aan gedacht, Slimy ... In de loop van de middag komen nog twee of drie knapen hiernaartoe. Zodra Farn en zijn mannen met het vee aankomen, drijven we het in de corral en beginnen met merken! Ik heb een paar brandmerken laten maken en we kunnen dus achter elkaar door werken. Als alles meezit zijn we voor middernacht klaar!'

Slimy moest het allemaal nog zien.

Inderdaad arriveerden in de middag drie kerels, die door Copper uitbundig welkom geheten werden. Hij legde het drietal, dat eruit zag alsof ze samen al minstens vijftig jaar gevangenis hadden 'opgeknapt', uit wat er van hen verwacht werd.

De tijd verstreek ... Toen Farn en zijn vrienden tegen een uur of zeven nog niet terug waren, begon Copper zenuwachtig te worden. Zou er iets misgelopen zijn? Hij rookte de ene sigaar na de andere en ijsbeerde door de woonkamer van de Black Triangle. Eindelijk, na nog een uur wachten, kondigde de hoefslag van een paard de komst van een ruiter aan. Copper holde naar buiten, gevolgd door Slimy en de andere kerels. Wayburn, want deze was het, kreeg nauwelijks de gelegenheid zijn paard tot stilstand te brengen.

'Wat is er gebeurd?' snauwde Copper.

Wayburn steeg af. Terwijl zij naar binnen liepen bracht hij verslag uit.

Copper at zijn sigaar bijna op. 'Dus het laatste dat je gezien hebt was, dat Farn, Klounder en Sturdy in moeilijkheden zaten?' vroeg hij kort, toen Wayburn uitgesproken was.

'Ja! Ik kon ze niet te hulp komen,' verontschuldigde Wayburn zich. Hij wreef over zijn achterhoofd, waar een bult onwaarschijnlijke proporties had aangenomen.

'En Haywood en de anderen?'

Wayburn haalde de schouders op. 'Geen idee van. Er werd aardig geschoten, hoorden we, maar plotseling was het stil.'

Copper knikte stug. Het feit dat het vuren opgehouden was, kon drie dingen betekenen: Haywood had zijn tegenstanders uitgeschakeld, Haywood was dóór zijn tegenstanders uitgeschakeld of ... hij en zijn mannen waren ervandoor gegaan ... Over geen van de drie mogelijkheden kon hij zekerheid krijgen, maar hij móést rekening houden met het eerste geval ... Veronderstel, dat Haywood geluk had gehad en toch nog een deel van de kudde te pakken had gekregen. In dat geval zou hij vroeg of laat toch naar de Black Triangle komen!

'We zullen afwachten wat er gebeurt,' besliste Copper. 'Vannacht blijven we in elk geval hier!'

Het was al na middernacht toen de komst van een groep ruiters aangekondigd werd.

'Draai de lamp laag,' commandeerde Copper. In spanning wachtten de schurken af. Toen de ruiters op het erf hun rijdieren inhielden, riep Copper: 'Blijf staan daar! Wie zijn jullie?'

Haywood keek even verwonderd. Hij had de advocaat niet op de ranch verwacht! 'Ik ben het, Copper,' riep hij dan terug.

'Haywood.'

'O.K.! Kom maar verder!'

Haywood duwde Pablo voor zich uit naar binnen.

'Wat moet die knul hier?' snauwde Copper geschrokken.

'Hij dacht op zijn eigen houtje meer te kunnen bereiken dan Stanhope en zijn vriend,' grijnsde Haywood. Toen vertelde hij wat er sinds die middag gebeurd was. Hoewel hij er zo goed als zeker van was dat Copper hem en zijn mannen verraden had, durfde hij dit nu niet met zoveel woorden te zeggen. Hij zou de advocaat later nog wel krijgen ...

Copper op zijn beurt deed net alsof er geen vuiltje aan de lucht was, maar uit de manier waarop hij Haywood af en toe opnam kon men afleiden dat hij zich afvroeg wàt de toneelspeler wist.

'Waar zijn Farn, Sturdy en Klounder?' vroeg Haywood plotseling. Eerlijk gezegd had hij verwacht de drie mannen hier te zullen aantreffen met een deel van de kudde. Nu dit niet het geval bleek te zijn begon hij zich af te vragen of hij zich misschien toch vergist had in Copper.

De advocaat gaf Wayburn, Slimy en de drie andere kerels een wenk dat ze hun mond moesten houden. 'Ik heb er geen idee van,' zei hij dan tegen Haywood. 'Ik had ze al terug verwacht, maar misschien hebben ze moeilijkheden gekregen ... Wayburn was bij ze, maar verloor ze uit het oog toen hij voor een paar cowboys moest vluchten.'

Het klonk aannemelijk, zelfs voor de sceptische Haywood. 'Wat doen we nu?'

Copper, die wel vol moest houden dat hij niet wist wat er met de drie andere schurken gebeurd was, deed alsof hij diep nadacht. 'Laten we hier de ochtend maar afwachten,' zei hij dan. 'Als Farn en zijn mannen er dan nog niet zijn is er iets tussen gekomen ...'

Er werd een fles whiskey te voorschijn gehaald, die van hand tot hand ging. Slimy was zo'n groot 'gezin' niet gewend en had niet voldoende glazen. En dus nam iedereen maar een flinke slok uit de fles als hij aan de beurt was. Pablo, wiens handen door een van de schurken geboeid waren, zat in een hoekje van de kamer op de grond. Hij ging zijn toestand steeds somberder inzien en kon zijn tranen maar met moeite bedwingen. Wat zou er met hem gebeuren?

Zoals dat meestal gaat maakte de whiskey de tongen los. Er werd lang gesproken over de gebeurtenissen van die dag. Het leek haast onvermijdelijk, dat iemand zijn mond voorbij zou praten ... Copper en zijn mannen mochten niet laten merken dat zij wel degelijk wisten wat er met Farn en de anderen gebeurd was omdat de advocaat dan door de mand zou vallen. Omgekeerd moesten Haywood en zijn mannen verzwijgen, dat zij Copper gewantrouwd hadden ...

Toen Wayburn zijn mond voorbij praatte, waren de poppen aan het dansen! Er vielen grote woorden en in een mum van tijd waren de mannen in twee kampen verdeeld. De stemming werd bepaald gevaarlijk ...

Hoofdstuk 15

Het einde?

Arendsoog kwam voorzichtig enigszins overeind en gluurde over de vensterbank. 'De heren zijn het met elkaar oneens,' fluisterde hij tegen Witte Veder. 'Dit is onze kans ...'

Volkomen onhoorbaar slopen zij naar de achterkant van het huis. De keukendeur bleek gelukkig niet op slot te zitten en weinige seconden later stonden onze vrienden in de stikdonkere keuken. Arendsoog liet zijn ogen even aan de duisternis wennen. Het geluid van de ruziënde kerels klonk nu veel dichterbij. Op hun tenen slopen zij de gang in ... Arendsoog legde een hand op de knop van de kamerdeur ... Zonder het te weten telde hij tot drie ... Toen smeet hij de deur open en stormde de kamer in...

De verrassing was volkomen! Toen de schurken verbijsterd naar de indringers keken, wezen vier revolvers in hun richting.

'Hands up!' beval Arendsoog.

Aarzelend volgden een paar kerels het bevel op. Copper was maar heel even uit het veld geslagen. 'Wat heeft dit te betekenen?' vroeg hij dan uit de hoogte.

'Dat zal je gauw genoeg duidelijk worden!' antwoordde Arendsoog. 'En nu handen in de hoogte of moet ik ze de hoogte in schieten!'

'Bent u zich ervan bewust dat dit huisvredebreuk is?' zei Copper op een toon, waarmee hij in een rechtszaal misschien indruk zou maken maar waarmee hij bij Arendsoog geen voet aan de grond kreeg.

'Hands up! Voor de laatste maal!'

PANG!

De kogel van de cowboy vloog zo rakelings langs het hoofd van de advocaat, dat deze niet wist hoe gauw hij zijn handen in de hoogte moest steken!

'En nu draaien jullie je om zodat je met je rug hierheen komt te staan,' ging Arendsoog verder. 'Maar denk er wel aan, dat mijn tweede schot raak zal zijn ...'

De schurken volgden zijn bevelen nu stipt op. De schrik zat er wel even in.

Arendsoog gaf Witte Veder een seintje. 'Ik houd ze onder schot. Wil jij ze even ontwapenen?'

Witte Veder stak zijn revolvers weg en liep naar de eerste man toe. Twee revolvers vlogen door de lucht en kwamen achter Arendsoog in een hoek van het vertrek terecht.

Pablo's hart sloeg een keer over toen zijn baas en Witte Veder het vertrek binnenkwamen. Hij slaakte een zucht van verlichting toen bleek dat zij de situatie volkomen meester waren. Hij krabbelde overeind wat nogal moeilijk ging omdat zijn handen op zijn rug gebonden waren.

'Niet tussen ze door lopen, Pablo!' riep Arendsoog waarschuwend, toen hij zag wat de jongen van plan was.

Het was al te laat! Pablo wilde zich bij Arendsoog voegen en koos daarvoor de kortste weg ... Hij wilde tussen Haywood en Roowey doorlopen ... Plotseling voelde hij de grijparmen van de eerste rond zijn schouders ... Op hetzelfde moment werd de loop van een revolver in zijn rug geduwd.

'Laat je wapens vallen, Stanhope!' brulde Haywood triomfantelijk. 'Snel! Als het leven van deze jongen je tenminste iets waard is ...'

Arendsoog zag de ernst van de situatie onmiddellijk in. Een kat in het nauw maakt rare sprongen en Haywood zàt in het nauw! 'Wees niet laf, Haywood,' probeerde hij het toch, tegen beter weten in. 'Verschuil je niet achter dat kind!'

'Laat die wapens vallen!' krijste Haywood. Zijn vinger spande zich rond de trekker.

Arendsoog die de dreigende klik hoorde, nam het enige besluit dat hij kon nemen en gooide zijn revolvers op de grond. Witte Veder volgde zijn voorbeeld.

Nog voor de wapens de grond bereikt hadden, hadden verschillende schurken hùn revolvers al in de handen! De rollen waren omgekeerd.

'Boei ze!' commandeerde Haywood, die vond dat hij de enige was, die hier nu nog bevelen mocht geven. Had hij de situatie niet gered!

Vijf minuten later lagen onze vrienden in een kamer naast het woonvertrek. De schurken hadden hun werk goed gedaan. Bij de minste of geringste beweging sneden de touwen in Arendsoogs armen en benen. Ook Witte Veder scheen niet veel bewegingsruimte te hebben en de arme Pablo kreunde van de pijn.

'Probeer je te ontspannen, jongen,' zei Arendsoog, die medelijden met hem had. 'Geef je spieren de kans om slapper te worden dan doet het minder pijn.'

Pablo probeerde het en inderdaad, het hielp. Als hij zijn lichaam slap hield, voelde hij de touwen nauwelijks.

Arendsoog rolde zich een paar maal om tot hij tegen de tussenmuur aan lag. Hij kon het gesprek, dat aan de andere kant gevoerd werd, bijna woordelijk volgen. De schurken namen geen enkele moeite om hun plannen te verbergen.

'Ik pieker er niet over,' zei Copper. 'Als wij nog één rustige dag willen hebben, moeten ze uit de weg geruimd worden!'

'Ik ben het met Copper eens,' zei Haywood. 'Ik ken Stanhope langer dan vandaag. Als we hem de kans geven te ontsnappen zal hij de onderste steen boven halen om ons te pakken te krijgen!'

'Maar je kunt ze toch moeilijk neerknallen,' protesteerde Slimy. 'En die jongen ... Als je hem laat gaan, praat hij toch zijn mond voorbij ...'

'Het is nu geen tijd voor sentimentaliteiten,' snauwde Copper. 'Ik bedoel, dat ze alledrie moeten verdwijnen ... Bovendien heb ik het niet over "neerknallen" gehad ... Ik ken een manier die minder sporen achterlaat en minstens even doeltreffend is ...'

En terwijl Arendsoog met afgrijzen toeluisterde, zette Copper zijn boze plan uiteen. Het verwonderde hem niets dat Haywood het wederom roerend met de advocaat eens was. Wat slechtheid aanging, deden de twee niet voor elkaar onder ... Hij hoorde ook, dat Slimy verontwaardigd protesteerde. De rancher scheen echter volkomen in de macht van de advocaat te zijn en slikte zijn protesten in toen Copper hem aan een paar zaken herinnerde, waaraan hij liever niet herinnerd wilde worden!

'O.K., mannen, aan het werk!' commandeerde Haywood.

Enige tijd werd er druk heen en weer gelopen in het huis. De zware geur van olie verspreidde zich.

Arendsoog vond het niet nodig Pablo te vertellen wat hij had gehoord. Hij rolde terug naar Witte Veder en fluisterde hem in het oor: 'Je hebt het zeker al begrepen, hè?'

De Indiaan bromde een bevestiging.

'Ik kan mijn rechterhand iets bewegen ... Als jij je zo kunt draaien, dat ik erbij kan ...'

Met inspanning van alle krachten slaagde de Indiaan erin zich iets omhoog te werken. Daarna rolde hij op zijn zij.

Op dat moment ging de deur open en kwam Haywood binnen. Hij had een lamp in de hand die zijn van wreedheid vertrokken gezicht bescheen. In de andere hand had hij een oliekan ... Ruw schopte hij onze vrienden in de zij en dwong ze zich om te keren. Met een toewijding, een betere zaak waardig, onderzocht hij de boeien dan. 'Dat zit wel goed,' grijnsde hij. 'Deze boeien krijgt zelfs de grote Arendsoog niet los ...' Hij begon nu de oliekan leeg te gieten. De vieze, stinkende substantie droop over de tafel, de stoelen en de vloer. 'Jullie hebben zeker al door wat er gaat gebeuren, hè?' zei de schurk vals. Hij pakte de lamp weer op en liep naar de deur. 'Mag ik jullie dan een goede reis naar de eeuwige jachtvelden toewensen ...' Met een gemene lach op zijn lippen, wilde hij de deur sluiten. Op het laatste moment bedacht hij zich echter. Hij stak een hand in zijn zak en haalde de beruchte cheque te voorschijn. Hij hield het papiertje tussen duim en wijsvinger voor zich. 'Hier maakte je toch jacht op, Stanhope?' vroeg hij dan hartelijk. 'Wel ... de jacht is afgelopen ... Je mag het hebben!' Hij liet het papier los, dat de kamer in dwarrelde. 'Hahahaha!!!' Nog voor het papier op de grond gekomen was, deed hij de deur achter zich dicht. Het was weer stikdonker.

'Wat gaan ze doen, señor Stanhope?' vroeg Pablo angstig. 'Ik zijn bang ...'

'Alles komt in orde, Pablo,' probeerde de cowboy hem gerust te stellen. Hij hoopte dat zijn stem een beetje overtuigend klonk, want zelf had hij er een hard hoofd in! Er was nu geen tijd meer te verliezen. De schurken schenen het ranchgebouw te verlaten ... Arendsoog rolde zich weer om. Na nog wat heen en weer geschuif lag hij goed. Hij kon drie vingers en de duim van zijn rechterhand bewegen. Als dat maar voldoende was ...

Terwijl hij snel en toch secuur de boeien van Witte Veder afzocht, ontspande de Indiaan zich volkomen. Eindelijk voelde Arendsoog de knopen. Nu begon een race met de klok ... Het was doodstil geworden in het huis. Alleen uit de gang drong een dreigend gesis tot hen door.

Arendsoog werkte als een bezetene. Zijn nagels braken en hij schuurde het vel van zijn vingertoppen. Aan alle kanten brak het zweet hem uit. Hij voelde zich wanhopig worden. Maar hij mocht niet opgeven ... Hij moest blijven vechten ... Tot het bittere einde ...

Naar zijn gevoel was er een eeuwigheid verstreken toen plotseling de bovenste knoop van Witte Veders boeien los schoot. Arendsoog zuchtte diep en rustte even.

'Jij doorgaan!' spoorde Witte Veder hem echter aan.

Het was nu nog slechts een kwestie van tijd ... Van tijd, ja ... Maar hoeveel seconden hadden zij nog tot hun beschikking ...?

Nog even, toen waren Witte Veders polsen vrij ... Razendsnel stortte de Indiaan zich op de boeien van zijn vriend. Goddank hadden de schurken hem het mes niet afgenomen, dat tussen zijn broekband stak.

Het leek wel of het sissen luider werd.

Arendsoog hoorde Pablo zachtjes huilen. 'Niet de moed opgeven, Pablo,' zei hij. Hij worstelde met de touwen om zijn benen. Witte Veder drukte hem de dolk in handen. De Indiaan kon alweer lopen en rende naar het raam. Onderweg greep hij een stoel en smeet die dwars door de ruit ... Dan tilde hij de nog steeds geboeide Pablo op en tilde hem naar buiten. Hij kon het ook niet helpen, dat de jongen een paar snijwonden opliep. Toen sprong hij zelf naar buiten. Was Arendsoog nog steeds niet bevrijd ...?

'Jij komen?'

Arendsoog kroop op handen en voeten door de kamer. 'Die cheque, boy ... Ik moet die cheque hebben ...' Zijn stem klonk wanhopig.

'Jij snel komen!' antwoordde Witte Veder, ongewoon streng.

Arendsoogs hart bonsde van spanning. Waar lag die verdraaide cheque nou ... Hij móést hem hebben ... Hij móést zijn onschuld kunnen aantonen ...

Witte Veder klom weer naar binnen. Hij pakte Arendsoog bij de schouder. Zonder omhaal rukte hij zijn vriend overeind. 'Leven zijn belangrijker dan cheque ...'

Arendsoog begreep, dat zijn vriend gelijk had. Hij schaamde zich voor zijn gedrag. Hij klom als eerste over de vensterbank. Witte Veder volgde hem een fractie van een seconde later. Samen pakten ze de nog steeds geboeide jongen op en renden naar een groep bomen, die een kleine veertig meter verderop stond.

Ze kwamen maar halverwege ... Toen klonk een dreunende explosie ... In een razendsnelle reactie liet Arendsoog zich bovenop de jongen vallen en beschermde hem met zijn lichaam ... Honderden brokstukken van de ranch vlogen over hem heen of kwamen op hem terecht. De echo van de ontploffing schalde door de vallei en tegen de bergen.

Toen het weer stil werd, durfde Arendsoog om te kijken. Wat drie minuten geleden nog een gebouw was geweest, was nu een fel brandende ruïne ... Hij sloot de ogen. Ze hadden werkelijk geen tien seconden later moeten zijn.

Witte Veder, die door de luchtdruk een paar meter weggeslingerd was, krabbelde overeind en liep naar Arendsoog en Pablo toe. Arendsoog zei niets, maar keek zijn vriend heel even aan. Witte Veder wist wat de blik van zijn vriend betekende. Hij had Arendsoogs leven gered en de cowboy bedankte hem daarvoor.

Pablo was nu ook spoedig van zijn boeien ontdaan. Arendsoog vond dat de jongen al voldoende gestraft was voor zijn onbesuisdheid en volstond met een standje, dat de knaap met gebogen hoofd aanhoorde.

Pablo's paard was van de explosie geschrokken en over het hek van de corral gesprongen. Het dier was nu in de duisternis verdwenen. Enfin, Lightfeet en Witte Veders paard waren er ook nog.

'Lightfeet is wel moe,' zei Arendsoog, 'maar ik denk dat hij ons tweeën nog wel naar Preston kan brengen. Zo ver is dat niet meer ...' Ze liepen naar de rijdieren toe en stegen op. Toen zij opstegen, was van de ranch niet veel meer over. Van Haywood, Copper en de anderen was geen spoor te bekennen, maar van verschillende kanten klonk het geluid van hoefslagen. De buren van Slimy kwamen te hulp!

Arendsoog begreep dat zij nu beter niemand konden ontmoeten en af en toe zochten zij dekking om een ruiter te laten passeren. Hij vroeg zich af waar de schurken gebleven waren. Zouden ze naar Preston gegaan zijn? Het lag wel voor de hand. Het beste was om met de mogelijkheid rekening te houden dan konden zij nooit verrast worden.

Hoofdstuk 16

Rake klappen

Het geluid van de enorme explosie was zelfs doorgedrongen tot Preston en in verschillende huizen waren de lichten ontstoken. Stapvoets reden Arendsoog en Witte Veder door de straten. Ze zorgden er wel voor de hoofdstraat te vermijden, omdat daaraan het huis van Copper lag. In een straatje achteraf vonden ze een klein, maar helder logement. De eigenaar was ook wakker geworden van de ontploffing en wees hun, gekleed in een gestreept nachthemd, hun kamers.

'Wij moeten nog even weg,' zei Arendsoog dan tot de verbaasde man. 'De jongen gaat naar bed.'

'Maar alle saloons zijn al dicht, sir,' zei de logementhouder. 'Als u nog iets wilt drinken kan ik dat wel op uw kamer brengen.'

Arendsoog glimlachte. 'Hartelijk dank, maar zo'n dorst hebben we nu ook weer niet.' En om te voorkomen, dat de man nog meer vragen zou stellen en zij uitleg zouden moeten geven, liep hij de trap af. Achter het logement lag een kleine tuin, waarvan een gedeelte door een afdak overdekt werd. Daar lieten zij de paarden achter. Te voet gingen zij dan de stad in.

Hoewel het belangrijkste doel, dat Arendsoog voor ogen had gestaan, niet meer te verwezenlijken was – namelijk de cheque in handen te krijgen – bleef er nog een andere kwestie in orde te maken ... Haywood en zijn vrienden vormden een groot gevaar voor de samenleving. Zij moesten zo snel mogelijk weer achter de tralies!

In het kantoortje van de sheriff in de hoofdstraat brandde

licht. Met kloppend hart liet Arendsoog zijn vuist op de deur neerkomen. Hij kende sheriff Housting van Preston goed. Als de man zijn plicht deed, moest hij Arendsoog arresteren, want hoe je het ook bekeek, hij was voor de wet nog steeds een ontsnapte gevangene ...!

Housting brulde iets onverstaanbaars. Arendsoog begreep eruit, dat de deur niet gesloten was en dat zij zo binnen konden komen. De sheriff was zich aan het kleden. Hij wilde juist zijn koppel omgespen, maar liet hem verbaasd zakken, toen hij zag wie zijn bezoekers waren. 'Bob ...! Hoe gaat het met jou! Ik vroeg me toevallig vanavond af waar je zou uithangen!'

'Met mij gaat het prima, Housting. Maar als ik vragen mag, waar ga je naartoe?'

Housting geeuwde. 'Er schijnt ergens een ernstige ontploffing te zijn geweest. Ik ben een vaste slaper en heb niets gehoord, maar de mensen van hiernaast kwamen me waarschuwen ...' Weer geeuwde hij. 'Dacht je misschien, dat ik voor mijn plezier op dit onmenselijke uur uit mijn bed kwam.'

Arendsoog grinnikte. 'In dat geval kun je er weer inkruipen,' zei hij. 'Wij zaten tien seconden voor die explosie nog in de ranch die de lucht in ging. Ik kan je de verzekering geven, dat er geen slachtoffers zijn.'

Houstings mond viel open van verbazing. 'Ik had het kunnen weten,' mompelde hij dan. 'Direct toen jullie binnenkwamen had ik moeten weten, dat jullie iets met die klap te maken hadden ... Maar vertel me eens wat meer!'

Hoewel Arendsoog zijn best deed zijn relaas zo beknopt mogelijk te doen, was hij toch bijna een kwartier lang aan het woord. 'Ik hoef tegenover jou geen kiekeboe te spelen, Housting,' besloot hij. 'Je weet, dat ik "gezocht" word. Als het goed is, heb jij in het verleden ook een verzoek tot opsporing ontvangen.' Housting knikte. 'Je begrijpt dan ook, dat het niet gemakkelijk voor me was om hierheen te komen,' ging Arendsoog verder. 'Ik durf dat alleen maar omdat ik weet dat je naar me zult luisteren ... Die kerels móéten vannacht nog gepakt worden ...'

Er was een glimlach verschenen rond Houstings lippen. 'Ik

geloof dat ik een verrassing voor je heb, Bob,' zei hij toen de cowboy uitgesproken was. Hij liep naar zijn werktafel en pakte een telegramformulier. 'Dit kreeg ik vanavond van mijn collega in Dorwan ...' Hij gaf het formulier aan Arendsoog, die het verwonderd openvouwde.

bevel tot aanhouding stanhope
alias arendsoog ingetrokken
dewill

'Hier begrijp ik helemaal niets van,' mompelde Arendsoog, terwijl hij het telegram teruggaf.

'Ik evenmin, maar het staat er ... Je weet, dat wij sheriffs een aparte code hebben voor dergelijke telegrammen. Anders zou iedereen ze kunnen versturen en zou elke willekeurige misdadiger een bevel tot zijn aanhouding kunnen intrekken ... Kijk, hier staat die code ... Dit getal. Het klopt als een bus.'

Arendsoog keek Witte Veder en Housting beurtelings aan. Toen begon hij plotseling hard te lachen. En in die lach ontlaadde zich alle spanning van de afgelopen weken. Alle angst, het geval van opgejaagd worden ... het was allemaal voorbij! 'Wordt er niet meer gefeliciteerd!' lachte hij. 'Mannen, als jullie eens wisten hoe opgelucht ik ben.'

Plotseling drong het tot hem door, dat ze hun tijd stonden te verdoen. 'Zullen we Copper eens een bezoek gaan brengen, Housting?'

'O.K., Bob! Ik probeer al jarenlang die kerel te pakken te krijgen, maar hij is zo glad als een aal en zo slim als ... als ...'

'Als een advocaat,' hielp Arendsoog hem.

'Precies! Ik beloof je dat hij me vandaag niet meer ontsnapt. Als het aan mij ligt gaat vannacht de hele onderwereld van Arizona nog achter de tralies!'

Hij wilde al naar de deur lopen, maar Arendsoog hield hem tegen. 'Kun je niet voor een paar man versterking zorgen, Housting. Er zitten daar minstens tien man in dat huis ... als ze tenminste naar Preston gegaan zijn, maar daar twijfel ik niet aan. Een paar van die kerels kun je rekenen tot de allergevaarlijkste misdadigers van deze staat.'

Housting dacht na. 'O.K., Bob. Wachten jullie hier. Ik ben binnen een kwartiertje terug!' Met een klap viel de voordeur achter hem dicht.

Inderdaad was hij vrij gauw weer terug. 'Het is voor elkaar, Bob. Ik heb vijf flinke kerels uit bed gehaald. Ze kunnen ieder moment hier zijn.'

'Misschien kunnen wij intussen een plan de campagne opstellen,' zei Arendsoog. 'Ik geloof dat we beter niets aan het toeval kunnen overlaten.'

'Jij hebt al iets in je hoofd, is het niet? Kom er maar mee voor de draad!'

'O.K.! In de eerste plaats moeten we voorkomen, dat één van de kerels de kans krijgt om te ontsnappen. We zullen het huis dus aan alle kanten in de gaten moeten houden. Dat is gelukkig niet zo moeilijk, omdat het vrij staat van de andere huizen. Witte Veder en ik kennen een manier om binnen te komen. We gaan langs de achterkant en verrassen de schurken. Ze verwachten ons helemaal niet, aangezien ze in de veronderstelling verkeren, dat wij mèt de ranch de lucht in zijn gevlogen. Van hun eerste verbazing moeten we gebruik maken. Jij en je mannen moeten ervoor zorgen bij het eerste geluid dat jullie horen, binnen te komen. Het lijkt me het beste als jullie het slot van de voordeur aan flarden schieten, want het is ons misschien onmogelijk jullie binnen te laten. De rest hangt van de omstandigheden af.'

Housting was het met hem eens. 'Het is beter, dat jij binnensluipt, Bob. Als ik het zou doen, zou Copper daar wel weer een overtreding in zien waardoor hij zichzelf vrij praat!'

Eén voor één kwamen de hulpkrachten binnen. Housting had niet overdreven. Stuk voor stuk waren het mannen die eruit zagen alsof ze niet voor een kleintje vervaard waren. Toen nummer vijf zich meldde, hield Housting een korte toespraak. Hij drukte de mannen op het hart alleen in het uiterste geval van hun vuurwapens gebruik te maken. Toen gingen zij op pad ...

Er brandde geen licht in het huis van Copper. Had Arendsoog zich vergist? Waren de schurken er helemaal niet of waren ze gaan slapen? Ze zouden het spoedig weten! Voor de tweede maal in korte tijd slopen zij door de achtertuin naar de uitbouw. Nu waren ze echter in het voordeel, dat ze wisten wat hun te wachten stond.

Het raam op de eerste verdieping was gesloten. Copper was voorzichtiger geworden! Het was voor onze vrienden geen onoverkomelijke moeilijkheid. Witte Veder zette de punt van zijn mes onder het raam en wrikte het voorzichtig omhoog. Hij slaagde er werkelijk in dit te doen zonder ook maar enig geluid te maken! Toen er een kier van ongeveer een centimeter was ontstaan, nam Arendsoog het werk over. Hij zette zijn vingers onder het raam en duwde het langzaam omhoog. De kamer was leeg. Geruisloos kropen zij naar binnen ... De kamerdeur piepte zacht toen zij hem opendeden en heel even hielden zij de adem in. Het bleef echter doodstil. Ze staken de gang over en slopen de trap af ... Halverwege bleef Arendsoog staan. Zijn ogen waren intussen aan de duisternis gewend en hij kon de woonkamer overzien. Op de lage bank, op stoelen en op de grond, overal lagen kerels te slapen. Het was zo'n onschuldig gezicht, dat het Arendsoog moeite kostte te geloven, dat deze mannen bij elkaar 'recht' hadden op zo'n honderdvijftig jaar gevangenisstraf! En misschien was die schatting nog wel aan de lage kant! Langzaam daalden zij de trap verder af ... Eén van de kerels draaide zich in zijn slaap om, juist op het moment dat Arendsoog over hem heen wilde stappen. Nog net op tijd kon de cowboy zijn been terugtrekken. Witte Veder had intussen de voordeur bereikt en keek Arendsoog vragend aan. De cowboy maakte een gebaar, waaruit zijn vriend begreep dat hij nog even moest wachten. Heel voorzichtig sloop Arendsoog dan tussen de slapende mannen door naar het bureau van Copper. Hij tilde de glazen kap van de olielamp op en draaide de kous omhoog. Toen stak hij een lucifer aan ... Onmiddellijk verspreidde zich een gelig licht door het vertrek.

'Nu, boy!' siste Arendsoog.

De gebeurtenissen volgden elkaar razendsnel op ... Op hetzelfde moment, dat Witte Veder de voordeur opendeed om de sheriff en zijn mannen binnen te laten, werden een paar schurken wakker. Eén, misschien twee seconden keken zij verbijsterd om zich heen. Toen grepen zij naar hun wapens ...

'Wie zich verroert krijgt onherroepelijk een kogel!' dreigde Arendsoog, terwijl hij met zijn eigen wapens de kamer bestreek.

Twee van de schurken waren echter niet van plan zich zomaar over te geven.

PANG! PANG!

Een van de mannen van de sheriff greep met een kreet van pijn naar zijn arm. Er ontstond enige verwarring. De schurken dachten hier gebruik van te kunnen maken. Een paar van hen wierpen zich op hun tegenstanders ...

Sheriff Housting had gelukkig een goede keus gedaan. Hoewel zijn mannen door de plotselinge uitval verrast waren, sloegen ze hard van zich af. In een paar seconden was de kamer in een slagveld herschapen. Arendsoog en Witte Veder lieten zich bepaald niet onbetuigd en zij lieten in recordtempo vier schurken naar adem snakkend tegen de grond gaan!

En toen klonk plotseling een schot uit een geheel andere richting ...

PANG!

Met een ruk draaide Arendsoog zich om ... Bovenaan de trap stonden twee mannen ... Haywood en Copper ...! Nu drong het plotseling tot hem door, dat hij de twee grootste schurken gemist had. De tweede deur op de overloop, begreep hij! Copper en Haywood hadden daar geslapen, terwijl de 'mindere goden' met een stoel of de houten vloer genoegen moesten nemen!

Het gevecht in de woonkamer werd even snel gestaakt als het begonnen was. Iedereen keek verbijsterd naar de twee schurken op de trap.

'Ik moet zeggen, dat ik verbaasd ben je hier te zien, Stanhope,' zei Copper sarcastisch. 'Ik waande je op een andere plaats ... hèèl ver hiervandaan ...'

'Wees verstandig, Copper, en laat je wapen vallen,' bemoeide de sheriff zich ermee. 'Je hebt geen enkele kans om te ontsnappen!'

Copper fronste de wenkbrauwen. 'Oh nee, sheriff ...? Ik zou anders zeggen, dat onze positie bepaald niet hopeloos is!' En op een geheel andere toon, ging hij verder: 'En nu gaan alle handen braaf omhoog! En snel ...!'

Even was er een lichte aarzeling ... Een dreigend gebaar van Haywood en Copper deed de mannen echter van gedachten veranderen. Ook Arendsoog deed zijn handen omhoog. Tenminste ... dat dacht Copper ...! De cowboy maakte inderdaad een begin met dit gebaar ... Toen liet hij zijn handen echter plotseling razendsnel weer zakken ... Een fractie van een seconde later lagen er twee revolvers in zijn handen ... Achteraf dankte hij de hemel, dat ze eraan gedacht hadden Housting om wapens te vragen. Hun eigen revolvers lagen nu immers als verwrongen hoopjes staal ergens tussen de resten van de Black Triangle! Voor Copper zelfs maar een begin kon maken met reageren, klonk een schot ...

De advocaat slaakte een woedende kreet en greep naar zijn rechterhand. De kogel van Arendsoog had de revolver uit zijn handen gerukt.

Haywood zag in dat de kansen voor de zoveelste keer sinds het begin van dit avontuur in zijn nadeel gekeerd waren. Toen Arendsoog de trap op stormde om Coppers tweede revolver te pakken, rende de toneelspeler de kamer in waarlangs Arendsoog en Witte Veder binnengekomen waren. Arendsoog zag het gevaar. Hij kreeg niet veel gelegenheid om na te denken. In het voorbijgaan plaatste hij zijn vuist op de kin van de advocaat, die zonder een kik te geven in elkaar zakte. Zonder snelheid te minderen rende de cowboy verder. Toen hij de kamer binnenkwam, zag hij Haywood nog net over de vensterbank verdwijnen. Met een reusachtige sprong dook Arendsoog over het bed heen. Toen hij het raam bereikte, sprong Haywood juist van het afdakje de tuin in. Arendsoog bedacht zich geen seconde ... Hij schoof het raam razendsnel helemaal naar boven en klom op de vensterbank ... Als een tijger dook hij toen naar beneden ... In de sprong gaf hij zijn lichaam nog wat extra snelheid ... Zijn laarzen vlogen rakelings langs de dakrand van de uitbouw ...

Haywood slaakte een woedende gil, toen de cowboy op hem neerkwam ... Samen rolden zij door het gras ... Een onderdeel

van een seconde keek Arendsoog zijn tegenstander middenin het gezicht ... Hij schrok ervan. Dit gelaat had niets menselijks meer. Het was vertrokken tot een bijna dierlijk masker ... Woede, haat, angst, wraakzucht ... Alles was uit het gezicht te lezen. Zijn gevoelens schenen Haywood een bovenmenselijke kracht te geven en hij slaagde er zowaar in zich onder Arendsoog uit te werken! Nog voor hij het hek, dat de tuin omgaf, echter bereikt had dook Arendsoog naar zijn benen ... Haywood sloeg voorover ... Hij brulde als een getergd roofdier en schopte Arendsoog in het gezicht. Weer moest de cowboy loslaten. Het volgende moment was Haywood over het hek ...

Arendsoog veerde overeind en zette de achtervolging in. Haywood had een voorsprong van slechts enkele meters. Het was duidelijk dat hij het spoedig zou afleggen tegen de veel snellere cowboy.

Net toen Arendsoog voor de derde maal een uitval wilde doen, hield Haywood in en draaide zich om. Onder het lopen had hij zijn tweede revolver getrokken. De eerste had hij bij zijn vlucht verloren.

Arendsoog had teveel snelheid. Hij kon zijn vaart niet inhouden.

De loop van Haywoods revolver wees op zijn borst ...

Hij dook en sloeg tegelijk met de rechterhand naar het wapen om de baan van een eventuele kogel te veranderen.

PANG!

Het schot weerkaatste tegen de huizen. Arendsoog wilde uithalen om de schurk waar hij nu bovenop lag buiten gevecht te stellen. Op het laatste moment hield hij zich echter in. Haywood bewoog niet meer ... Was hij met zijn hoofd ergens tegenaan gekomen?

Witte Veder, die samen met de sheriff en zijn mannen, de andere schurken had ontwapend, kwam om het huis heen gelopen.

Arendsoog kwam langzaam overeind. Hij keek naar het roerloze lichaam. Toen begreep hij het ...

De sheriff voegde zich bij Witte Veder. 'Heb je hem, Bob ...?'

Arendsoog schudde het hoofd. 'Nee, Housting, ik heb hem

niet uitgeschakeld. Haywood werd door een kogel uit zijn eigen revolver gedood ...'

Het eerste daglicht speelde al over de daken van Preston, toen Arendsoog en Witte Veder in het logement terugkeerden. Het waren een vermoeiende dag en nacht geweest en zij konden een paar uur slaap best gebruiken. 'Over een paar uur wilde ik vertrekken, boy,' zei Arendsoog. 'Ik verlang ernaar in mijn eigen bed te kunnen slapen zonder door nachtmerries achtervolgd te worden!'

Hoofdstuk 17

Besluit

Hoewel het korte slaapje hun goed gedaan had, voelden onze vrienden zich toch gekreukeld toen zij laat in de middag van die dag het erf van de S-ranch op reden. Van alle kanten kwamen cowboys naderbij hollen en Arendsoog werd van Lightfeets rug getild en onder gejuich het woonhuis binnen gedragen. Lachend onderging hij zijn 'luchtdoop'.

Zijn moeder kwam hem in de hal tegemoet en het hoeft geen betoog, dat de begroeting meer dan hartelijk was. 'Oh Bob, ik ben zo blij dat alles nu voorbij is,' snikte zij. Arendsoog legde een arm rond haar schouders. 'Kom, moeder, dan moet u niet huilen! Lach!'

Mrs. Stanhope hield haar zoon vast alsof ze hem nooit meer los wilde laten. 'Ik huil van blijdschap, dat begrijp je toch wel,' kreeg ze er tussen haar snikken door uit.

Toen Arendsoog de kamerdeur opendeed, vloog zijn zuster hem om de nek met de woorden: 'Waarom ben je nu al teruggekomen!'

Arendsoog keek haar stomverbaasd aan. 'Dat noem ik nu eens een hartelijk welkom,' zei hij. Toen zag hij echter het grote bord bij de schouw staan. Het bord had ongetwijfeld bij zijn thuiskomst boven de deur moeten hangen, maar Ann was nog niet klaar. Er stonden nu nog slechts een paar woorden:

WELKOM THUIS LIEVE ...

'Nu vraag ik me af wat daar toch had moeten staan,' zei Arendsoog lachend. 'Lieve onwelkome gast, misschien?'

'Begin je me nu alweer te plagen,' protesteerde Ann. 'Je weet wel beter ... Lieve broer, had ik willen zetten.'

Arendsoog drukte haar tegen zich aan. 'Natuurlijk weet ik dat, zusje. Het spijt me echt dat ik te vroeg gekomen ben!'

'Zie je wel, dat je plaagt! Je bent helemaal niet te vroeg gekomen.'

Arendsoog schoot in de lach. 'Ik dacht dat je me met die woorden verwelkomde! Maar kom, ik zal je maar niet meer plagen. Daarvoor ben jij een veel te lieve meid!'

En nu wist Ann helemaal niet meer of ze er tussen genomen werd of niet!

Nu pas kon Arendsoog zich laten begroeten door de andere aanwezigen: Jim, mister MacGlan en ... Harry Dewill, de hulpsheriff.

'Ik kom je gelukwensen namens mijzelf en sheriff Grisley,' zei Harry, een beetje stuntelig. 'Grisley durfde de reis zelf nog niet aan, hoewel hij helemaal opgeknapt is.'

'Dank je wel, Harry. Ik ben blij dat te horen.' Toen wendde hij zich tot MacGlan. 'Fijn dat u er ook bent, mister MacGlan ... U hebt me zeker heel wat te vertellen?'

MacGlan grinnikte. 'Ik geloof het ook, Bob. Toch is het niet zo vreemd als het lijkt. Je moeder of je zuster had je, geloof ik, al verteld dat ik naar Dorwan gegaan was. Dat zat zo ... Eergisteren, de dag dus waarop je tweede proces eigenlijk zou worden gehouden, bedacht ik plotseling, dat die cheque niet het énige bewijs van je onschuld was ...'

'Wat!?' riep Arendsoog verbaasd uit. 'Wil je zeggen, dat die hele jacht op Haywood niet nodig was geweest?!'

MacGlan knikte. 'Ik ben bang van wel ... Herinner je je nog, dat ik vertelde dat Handell voor hij zo lafhartig werd vermoord nog een boeking had ingeschreven?'

'Ja! Na mij kwam Sloan immers. Het bedrag dat voorkwam op zijn cheque schreef Handell in nà het bedrag dat hij aan mij uitbetaald had.'

'Juist! Sloan maakte toen de fout de cheque niet mee te nemen en dat was het bewijs van jouw onschuld ... Hij maakte echter een dubbele fout ... Hij had namelijk ook het "kasboek" van Handell mee moeten nemen ...'

Arendsoogs ogen gingen wijd open van verbazing. 'Verdraaid ... Dat we daar niet eerder aan gedacht hebben! Als die cheque een wettig bewijs was voor het feit, dat Handell na mij nog een klant had gehad, dan was die notitie in het kasboek het evengoed!'

'Eergisteren drong dat pas tot mij door,' vervolgde MacGlan. 'Ik ben onmiddellijk naar Dorwan gegaan en heb rechter Cleveland zover gekregen, dat hij gisteren het nieuwe proces liet voeren ...'

Alles werd Arendsoog plotseling duidelijk. 'Ik ben u heel veel dank verschuldigd, mister MacGlan,' begon hij.

MacGlan onderbrak hem echter. 'Ik vond het een eer te mogen werken voor de enige man in Arizona, die eerst bij verstek veroordeeld en daarna, ook bij verstek, weer vrijgesproken wordt! Jouw geval zal geschiedenis maken, Bob!'

Arendsoog wilde nog iets zeggen, maar hij zweeg omdat de kamerdeur openging. Niemand had het rijtuig gehoord, dat voor het ranchgebouw tot stilstand was gekomen.

Tot ieders verbazing kwam Bunder, de openbare aanklager, het vertrek binnen. Hij liep met uitgestoken hand naar Arendsoog toe. 'Ik kom u feliciteren en bedanken, mister Stanhope,' zei de dikke man, ongewoon verlegen voor iemand die gewend is het woord te voeren.

'Bedanken, mister Bunder? Waarvoor?' vroeg Arendsoog, die er niets van begreep.

'Ik wilde u bedanken voor het feit, dat u door vol te houden voorkomen hebt dat ik de grootste blunder uit mijn loopbaan zou hebben gemaakt.'

'Dat zou dan een "blunder" van "Bunder" zijn geweest,' giechelde Ann.

En toen schoot iedereen, zelfs de openbare aanklager, in de lach. Het ijs was gebroken!

EINDE

Inhoud